LE RETOUR DE JULES

DIDIER VAN CAUWELAERT

LE RETOUR
DE JULES

roman

ALBIN MICHEL

IL A ÉTÉ TIRÉ DE CET OUVRAGE

Vingt-cinq exemplaires
sur vélin bouffant des papeteries Salzer
dont quinze exemplaires numérotés de 1 à 15
et dix exemplaires, hors commerce, numérotés de I à X.

© Éditions Albin Michel, 2017

Au milieu des bilans comptables étalés sur mon bureau, je m'apprêtais à faire l'amour à ma directrice financière lorsque Fred a surgi en s'excusant : c'était pour une urgence.

– Pas de souci, lui a répondu Ludivine.

Je n'ai guère eu le temps de me demander comment je devais le prendre : engoncée dans une parka vert-de-gris, Fred avait une tête d'accident de chasse. Sans plus s'occuper de ma collaboratrice, elle m'a dit qu'elle m'attendait dans la voiture. Et elle est ressortie en fermant la porte avec une discrétion rétroactive.

– Vas-y, m'a conseillé Ludivine en remettant son string d'un air anxieux. Je ne l'ai jamais vue dans cet état.

Moi non plus. Le cœur en alerte, j'ai rejoint sur le parking la redoutable affairiste à qui je devais ma réussite et l'échec de mon couple. Quand on s'est connus, j'étais vendeur de macarons à Orly-Ouest, bardé de diplômes universitaires devenus dissuasifs chez un homme de quarante-deux ans, et j'avais renoncé à trouver un débouché à mes découvertes en biologie végétale. Grâce à ses stratégies croisées, je m'étais retrouvé en quelques mois leader sur le marché de la phytothérapie et en dépôt de bilan amoureux.

Ses lunettes à monture rouge plantées dans ses frisures peroxydées façon Michel Polnareff, elle téléphonait, portière ouverte, au volant de sa vieille Maserati qui sentait l'huile de friture et le chien mouillé. L'image de notre labrador m'a noué la gorge. Je n'avais plus de nouvelles de lui depuis qu'Alice m'avait quitté.

– Oui, oui, pas de problème, je l'ai sorti d'une réunion, il arrive. On sera chez vous d'ici deux heures.

Je me suis plié pour m'insérer dans le siège baquet, parmi les classeurs et les dossiers en vrac, tandis qu'elle glissait son portable sous le pare-soleil.

– J'essaie de te joindre depuis des plombes. Tu

as changé de numéro ou tu m'as classée dans tes contacts indésirables ?

– À ton avis ?

En guise de réponse, le moteur a rugi sous son pied droit. J'ai demandé, le ventre serré par l'angoisse :

– Qu'est-ce qui se passe ? Il est arrivé quelque chose à Alice ?

– Non, à Jules.

Et elle a démarré sur les chapeaux de roues en balafrant mon gravier.

*

C'est fou comme les événements qui bousculent notre destin semblent parfois répondre à une forme de logique, à un appel inconscient. Jules avait saccagé mon existence, l'année dernière, mais c'était pour mon bien : je n'avais rien à perdre, à l'époque. Le labrador s'était raccroché à moi quand on lui avait volé sa raison d'être, son rôle sur terre. La pire chose qui puisse arriver à un chien guide, c'est que son aveugle recouvre la vue. On l'avait séparé de sa maîtresse, on l'avait affecté à un autre non-voyant, mais c'est moi qu'il avait choisi.

Grâce à lui, j'étais entré dans la vie d'Alice et j'y étais resté. Il faut dire qu'en vingt-quatre heures, le harcèlement de Jules m'avait fait perdre mon boulot, mon logement, tous mes repères[1]. Il ne me restait qu'un rêve impossible : ces découvertes sans issue auxquelles, privé de mes positions de repli, j'avais été contraint de me consacrer corps et âme. C'est ainsi que le loser obstiné que j'étais jusqu'alors s'était résolu à créer, sous l'impulsion dévastatrice d'un labrador en déroute, une entreprise de plantes médicinales aux vertus décuplées par des bactéries interactives. J'ai questionné dans un soupir :

– Qu'est-ce qu'il a fait, encore ?

Fred a tourné vers moi un regard torve. Dans le bruit d'essorage hystérique de son vieux bolide lancé à 180 sur l'autoroute brumeuse, elle m'a crié d'articuler. J'ai répété ma question, mais son téléphone a sonné. Elle a pris l'appel, s'est mise à régler en anglais un problème à la Bourse de Francfort. Cherchant à deviner quelle nouvelle catastrophe avait pu provoquer Jules et en quoi elle me concernait, je fixais la Pygmalyonne impitoyable

---

1. Voir *Jules*, Albin Michel, 2015.

qui m'avait mis le pied à l'étrier – manière subtile de garder la main sur l'homme qui lui avait piqué sa femme. Elle avait cru en mon potentiel autant qu'elle s'était fiée à son pouvoir de nuisance. Et elle avait gagné sur les deux tableaux : non seulement mes inventions lui rapportaient une fortune, mais mon couple n'avait pas résisté à son emprise aussi généreuse que sournoise.

Je devrais la haïr, mais je la comprends trop. Même si, dans un restant d'estime et de vanité, je refuse encore d'admettre qu'elle a sciemment, dès le départ, introduit la louve dans la bergerie en débauchant Ludivine de chez L'Oréal pour la mettre au service de ma PME. Un fait est certain : elle a persuadé Alice que je couchais avec ma directrice financière bien avant que l'idée m'en vienne. Ce qui passe pour la cause de notre rupture n'en est que la conséquence. Et, si j'ai concrétisé la liaison qu'on me prêtait à tort, il ne s'agit pour moi ni de vengeance ni de consolation, mais de rééquilibrage : j'essaie juste d'en vouloir un peu moins à Alice en justifiant ses griefs *a posteriori*. Pour demeurer en phase avec la femme qu'on aime, on est parfois obligé de la tromper.

Cela dit, cette mesure de simple justice est

devenue au fil des jours une forme d'addiction : Antillaise format top model diplômée d'HEC, Ludivine est aussi fiable dans les acrobaties fiscales que dans les joutes sexuelles sans prise de tête, et j'en néglige de plus en plus mon entreprise, qui au demeurant marche toute seule. En fait, plus personne n'a vraiment besoin de moi, et je fais du sur-place érotique avec une magicienne des chiffres qui, en termes de sentiments, se contente de joindre l'utile à agréable. Ce qui me permet de maintenir le manque d'Alice et mon désespoir résigné dans les limites du supportable.

Tout ce gâchis sous contrôle est la faute de Jules, en fin de compte. L'été dernier, après m'avoir rapporté à sa maîtresse comme si j'étais un chien de remplacement, il s'est consacré au nouveau protégé qu'il s'était choisi : le petit épileptique de nos vacances à Trouville. Sa manière de détecter ses crises quelques minutes avant qu'elles se déclenchent, et de les annoncer par des aboiements spécifiques, l'avait rendu à nouveau indispensable pour quelqu'un. Dressé à la vigilance altruiste qui était son obsession, il n'avait plus besoin de nous, dès lors qu'il nous sentait autonomes. On s'est inclinés devant son choix. Mais notre couple ne s'est pas remis de son absence.

Alice a refusé qu'on prenne un autre chien. Elle a cru qu'un bébé comblerait le vide. Moi aussi. C'était compter sans les difficultés techniques : les protocoles qu'on a dû suivre et leurs conséquences sur notre vie sexuelle n'ont fait qu'alourdir le problème. Sans parler de son travail à la radio, qu'elle avait dû quitter pour s'expatrier avec moi, la législation française décourageant, par un mélange épuisant d'autorisations différées et de racket préventif, la création d'une entreprise comme la mienne. Chômeuse au foyer dans l'ombre d'un gagneur débordé dont elle soupçonnait l'infidélité sur son lieu de travail, persuadée, comme Fred me l'avait expliqué sous le sceau du secret, que le viol subi à dix-sept ans l'empêchait d'être enceinte, Alice dépérissait à vue d'œil.

Pour remonter ses énergies, Fred l'a branchée sur une ONG luttant contre la disparition des éléphants d'Asie. Elle est partie leur prêter main-forte en Thaïlande et je suis resté seul dans mon entreprise belge, entre une amante de substitution et mes paillettes de sperme congelé que je ne me résous pas à jeter. Une forme d'espoir qui se maintient en dessous de zéro. Quand j'ai le moral au point mort, j'ouvre le congélateur de mon labo et je contemple les tubes étiquetés Zibal de Frèges. La vie continue, quoi. Après tout, j'ai commencé mon parcours sur terre comme ordure ménagère déposée dans un conteneur devant l'ambassade de France à Damas ; j'ai l'habitude qu'on me jette et qu'on me recycle. Avec mon physique de rebelle syrien et mes costumes Hugo Boss, entre le patronyme diplomatique de mes parents adoptifs et le prénom arabe qu'ils m'ont donné en souvenir de mes origines (« poubelle »), je suis une contradiction vivante qui résiste assez bien aux écarts de température. Je sais souffrir, je sais être heureux, je sais me faire oublier. Je m'adapte.

Jules, lui, après la guérison du gamin de Trouville, a été recruté par l'ESCAPE, l'École supérieure des chiens d'alerte et de protection pour épileptiques, qui vient de se créer à côté de Nancy. Il a obtenu haut la patte son diplôme d'assistant niveau A, tout en engrossant la plupart de ses consœurs en dehors des heures de service.

Pied au plancher, Fred raccroche, les dents serrées. Je l'interroge à nouveau sur Jules, inquiet de la voir prolonger le suspense. Concentrée, elle dépasse un convoi militaire en klaxonnant pour dégager la file de gauche. Je répète trois tons plus haut :

– Qu'est-ce qu'il a fait, encore ?

– Il est condamné.

Les trois mots lancés d'un air agressif me tétanisent. Elle ralentit à l'approche du péage, rétrograde en ajoutant plus bas :

– Je n'arrive pas à joindre Alice. Ils m'ont contactée ce matin.

– Pourquoi toi ?

– Tu n'es pas dans les infos du tatouage. Elle a oublié de réactualiser : c'est toujours mon nom qui figure en numéro 2 – «personne à prévenir». Si on ne prend pas les choses en main, il sera euthanasié sous vingt-quatre heures.

Une onde glacée est descendue dans mon dos. Elle ajoute :

– Jamais elle ne me pardonnerait de l'avoir laissé mourir. Mais je ne peux rien faire toute seule : c'est toi qui connais les gens, là-bas.

Je déglutis, demande de quoi il souffre.

– Ce n'est pas une maladie, soupire-t-elle, c'est un arrêté municipal.

Abasourdi, je rétorque que jamais une mairie n'irait prendre un arrêté contre les chiens d'assistance.

– Pas contre les chiens d'assistance. Contre les chiens dangereux.

Je n'y peux rien, je suis comme Jules : si on m'enlève le pouvoir d'aider, je suis morte.

Comme c'est bon de revivre, de s'oublier… Partir sur un coup de cœur, tirer un trait sur ce qu'on a perdu. Jeter par-dessus bord les reproches qui nous minent, la culpabilité qui nous bloque. Larguer nos souffrances au profit d'une cause encore plus désespérée que la nôtre. Découvrir combien, ailleurs, on a besoin de nous. C'est ce que je raconte dans la plaquette où je présente le travail de mes éléphants. Quand je dis « nous », aujourd'hui, ce n'est plus qu'en général.

À quel moment notre bonheur a-t-il commencé à prendre l'eau ? Le 5 septembre, je pense, au retour de Trouville. Zibal et moi avions passé le week-end chez les Bourdaine, pour maintenir un lien avec Jules. Il nous accueillait chaque fois avec la même joie décontractée, son doudou dans la gueule, et il nous emmenait jouer sur la plage dès notre sortie de voiture, sous le regard incendiaire de la plupart des promeneurs. À chacune de leurs réflexions, du style « C'est une honte ! », nous répondions merci avec un air flatté pour couper court aux leçons de morale. La cause de leur indignation était son nouveau jouet, qu'il avait trouvé dans le sable à marée basse en face du club de voile : un gode. Une grosse bite rose pâle délavée par la mer qu'il nous obligeait à lui lancer tous les dix mètres, et qu'il s'ingéniait ensuite à proposer aux familles, à l'heure du pique-nique, en échange d'un morceau de sandwich. Avec un malin plaisir, Zibal lui avait changé les piles. Quand le chien actionnait le mode vibreur, les dents fièrement serrées autour du membre qui gigotait en bourdonnant, j'expliquais aux vacanciers que c'était le meilleur système qui soit pour éliminer le tartre.

Jules faisait un bien fou au petit Oscar, tant par les éclats de rire incessants qu'il provoquait chez lui que par sa vigilance jamais prise en défaut. À force de lui annoncer une demi-heure à l'avance ses crises d'épilepsie, elles s'étaient considérablement espacées pour finir par disparaître. Non seulement elles étaient liées à son angoisse de les subir à l'improviste, mais les médicaments prescrits n'agissaient vraiment que s'ils étaient administrés juste avant l'apparition des premiers symptômes. Le médecin n'en revenait pas : l'enfant était guéri. Du coup, Jules s'était mis à trouver le temps long. Sans crainte des chutes, pertes de conscience et convulsions, le gamin pouvait désormais jouer en toute liberté avec les copains de son âge, et son garde du corps démobilisé avait épuisé les plaisirs solitaires du gode estival. Ce dimanche soir, tandis que Zibal chargeait les valises, il s'était planqué sous le plaid à l'arrière de notre voiture, et nous avions feint de ne le découvrir qu'à l'entrée de l'autoroute.

Les Bourdaine comprenaient. Le labrador leur manquait, bien sûr, mais il avait achevé sa mission. Leur enfant pouvait enfin suivre une scolarité comme les autres et, deux semaines après le départ de Jules, ils lui ont acheté un chien normal. L'adjectif m'avait dérangé. Comme un pressentiment.

Pour des raisons fiscales, Fred avait obligé Zibal à créer sa société en Belgique. On s'était installés à De Haan, une jolie station flamande où Jules ne se sentait pas trop dépaysé, entre la mer du Nord, la

19

chasse aux goélands et les dunes dans lesquelles il coursait les chiennes en chaleur. Mais il ne pouvait se satisfaire d'une vie « normale ». Il avait recommencé à embêter les vieux munis d'une canne, à traquer les aveugles solitaires, à offrir ses services à tous les fauteuils roulants de la ville. Avec un espoir toujours déçu, le samedi matin, il guettait le minibus des trisomiques de Gand, qui venaient respirer l'air de la mer pendant quatre heures. Chaque fois, les moniteurs le faisaient déguerpir en lui jetant des poignées de sable, à cause des mouvements de panique que ses démonstrations de maître-nageur provoquaient chez les gamins.

Il n'avait personne à aider, sur cette côte flamande sans SDF ni handicapés livrés à eux-mêmes. La solidarité locale aggravait son sentiment d'exclusion. Comme au lendemain de mon opération, quand je n'avais plus eu besoin de son regard, il avait cessé de s'alimenter. La grève de la faim, chez lui, est le signe avant-coureur d'une dépression profonde contre laquelle aucune personne autonome, aucun bien-portant ne peut lutter – je le sais par expérience. Il ne se serait jamais remis de la guérison de mes yeux, s'il n'avait reporté ses efforts sur le nécessiteux en détresse qu'était Zibal au moment de notre rencontre.

Là, je le voyais sombrer de jour en jour. Il ne sortait que pour ses besoins, et il ne jouait plus. Quand on lui lançait une balle, il la regardait passer avec une indifférence lasse. Il dormait presque tout le temps, et il n'était plus drôle du tout.

Est-ce nous qui avions déteint ? Zibal, complètement accaparé par ses inventions et les débouchés faramineux que leur assurait Fred, passait quinze heures par jour avec ses bactéries interactives, le plastique naturel qu'il faisait produire aux algues, les substances anticancéreuses qu'il puisait dans le chiendent et le caoutchouc bio qu'il extrayait de la racine des pissenlits. Moi, je me consacrais aux différents projets d'émissions que je soumettais par mail aux responsables d'antenne de RTL, qui mettaient un temps fou à me les refuser. Je n'étais plus leur voix fétiche, leur Miss Embouteillages, leur radioguideuse aveugle. Finie, la mascotte handicapée pour qui toute la station s'était cotisée, quand la Sécu avait rejeté la prise en charge de ma cornée artificielle. Je relevais désormais du régime général. Mes projets devaient suivre la procédure administrative classique : étude de rentabilité sur cible, calcul d'impact annonceurs, ratio d'audience par tranche horaire et type de consommateurs visés. Même son de cloche dans les radios concurrentes. J'avais fait mon temps, je n'étais plus sur place, je n'étais plus dans le coup.

Et puis, il y avait le nouvel associé, que Zibal avait logé dans la villa mitoyenne. Ce botaniste surdoué qu'il avait pris sous son aile, et dont l'épouse violoncelliste venait de mettre au monde une petite fille, dans un bonheur conjugal décuplant mon envie d'être mère. Zibal était pour à cent pour cent, mais pas son sperme, hélas. Vitesse linéaire insuffisante associée à la baisse de fertilité au-delà de quarante ans, avait diagnostiqué son endocrino. Sans me l'avouer, il s'en était ouvert à Fred, qui m'avait aussitôt rapporté sa confidence. Pour ménager son ego de mec face au recours nécessaire à la procréation assistée, elle m'avait conseillé de lui dire qu'un blocage psychosomatique m'empêchait d'être fécondée directement, suite à la peur panique que j'avais eue de me retrouver enceinte à dix-sept ans, quand mes trois violeurs m'avaient brûlé les yeux avec un spray d'autodéfense. Il avait accueilli cette explication de secours avec un désarroi compatissant qui ne laissait rien voir de son soulagement.

Cela dit, son déficit de vitesse n'avait rien de grave en soi, l'insémination artificielle pouvait parfaitement régler le problème. Quant à sa perte de fertilité progressive, il prenait ses précautions en congelant la plupart de ses prélèvements, qu'il archivait dans son labo pour éviter les erreurs d'étiquetage en milieu hospitalier. Mais la manutention avait perturbé notre libido, et les premières ovulations n'avaient rien donné.

Zibal culpabilisait. Du coup, il m'avait avoué la vérité. *Sa* vérité, en tout cas, telle qu'il se la racontait. Les conditions particulières de sa venue au monde, disait-il, l'empêchaient de se reproduire, c'est-à-dire de se projeter. Et il estimait qu'il exerçait inconsciemment une influence négative sur ses spermatozoïdes en les ralentissant. Même à distance, dans la seringue d'insémination. Pour justifier cette énormité, il s'appuyait sur sa théorie des bactéries interconnectées, issue des travaux que son idole Cleve Backster avait publiés dans la revue scientifique américaine *Science*, théorie qu'il m'avait démontrée avec un sérieux parfait au moyen d'une séance de monitoring. Après avoir branché des électrodes dans l'éprouvette contenant la semence qu'il avait recueillie une heure plus tôt, il s'était relié lui-même à un second électroencéphalographe. Alors, coiffé de ce casque à fils multicolores, il s'était consciencieusement rebranlé devant moi. Au moment de l'orgasme, les deux tracés d'EEG, le sien et celui de son sperme au fond de l'éprouvette, avaient produit le même pic d'activité électrique.

– Tu vois, avait-il constaté d'un air contrit en désignant le tube à essai qui avait pris son pied en même temps que lui. La communication bactérienne continue de fonctionner au niveau de mes spermatos.

– Et quand tu les congèles, ça t'enrhume ?

Ce fut notre dernier fou rire. Mon dernier élan d'amour pour l'incroyable délicatesse avec laquelle il tentait, par ses délires, de me détourner des angoisses stérilisantes que je m'étais inventées pour adoucir sa culpabilité.

Jules, qui avait pris contre lui cette connivence retrouvée, nous fit la gueule quinze jours. J'ai mis du temps à l'admettre, mais notre obsession pour ce bébé à venir l'irritait plus que de raison. Nous avions beau lui prouver par notre comportement qu'il demeurait au centre de notre univers, il se trouvait confronté à un enjeu qui n'était pas de son ressort, et il le vivait de plus en plus mal. En notre absence, un matin, il avait ouvert le congélateur dans un accès de jalousie, et fracassé sur le carrelage les éprouvettes de son maître – difficile d'imputer cet acte de guerre au hasard ou à la taquinerie. Notre chien partait en vrille.

Pour lui trouver un dérivatif, Zibal avait répondu de sa part à une offre d'emploi. Une école cynophile qui venait d'ouvrir en Lorraine, sous l'égide de la Fondation française pour la recherche sur l'épilepsie, effectuait des tests de recrutement.

L'entretien d'embauche commença très mal. Mis en présence d'une jeune épileptique, Jules lui tordit la cheville en lui sautant au cou. Le Pr Jérôme Schotz, colosse enthousiaste qui supervisait le projet, avait éliminé le postulant à coups d'injures. Neurologue au CHU de Nancy, il avait mis sa renommée en jeu dans cette exploitation de facultés psychiques que nombre de ses confrères tenaient pour une fumisterie, et il n'allait pas s'embarrasser de cabots hystériques. Vexé, Jules s'était sauvé à travers les coursives de l'ancienne usine transformée en centre d'essais canins. Avant que Zibal ait pu le

rattraper, il avait foncé droit sur un autre épileptique qui venait d'introduire une pièce dans la
machine à café, et lui avait aboyé dessus en le for-
çant à s'asseoir. Les signes avant-coureurs d'une
crise se déclenchèrent cinq minutes plus tard. Du
coup, après avoir recueilli au téléphone le témoignage des parents d'Oscar, le Pr Schotz l'avait
recruté pour une période d'essai.

Zibal était revenu seul à la maison, tout heureux
de me faire la surprise. Avec l'inconséquence généreuse qui le caractérise, il avait cru en toute sérénité
que j'allais me réjouir de perdre mon chien une
nouvelle fois. Je m'y étais efforcée, pour ne pas lui
faire de peine. C'était vital pour Jules, bien sûr, de
retrouver un job. Une chômeuse dans la famille, ça
suffisait.

Après trois semaines de tests complémentaires,
le stagiaire fut titularisé : il continuerait son apprentissage de secouriste professionnel, logé sur le site
de l'école avec une vingtaine de collègues de toutes
races, en attendant de se voir confier un épileptique
à domicile. Zibal ou moi allions lui rendre visite une
fois par semaine. Il nous faisait la fête, mais il nous
oubliait très vite. C'était la première fois que je le
voyais si bien intégré au sein de son espèce. Sur

un plan d'égalité, d'émulation mutuelle. Lui qui ne s'était jamais intéressé à ses congénères en dehors de la copulation, voilà qu'il faisait équipe. La découverte fondamentale qui était en train de se confirmer, dans cette école lorraine, c'est qu'un chien capable d'anticiper une crise chez un épileptique peut « enseigner », par mimétisme, cette capacité à un condisciple qui n'a travaillé jusqu'alors qu'avec des sourds, des aveugles, des paraplégiques ou des autistes.

La tâche des éducateurs de l'ESCAPE était double : non seulement ils apprenaient au débutant à améliorer les techniques de perception, d'information et de secours qu'il avait imitées de manière spontanée, mais ils recueillaient des données théoriques pour justifier scientifiquement les résultats qu'ils constataient et les subventions dont ils avaient besoin. L'un des axes de recherche était de définir par quel moyen les chiens captaient l'imminence d'une crise : odeur spécifique produite par le malade, perturbation électromagnétique dans son cerveau, ou « signal symptôme » fourni par une modification imperceptible de son comportement. Ainsi, les stagiaires travaillaient tour à tour sous casque à électrodes, sur des tee-shirts où les patients volontaires avaient transpiré lors de leurs dernières crises, et sous vidéosurveillance pour analyser leurs réactions.

Non seulement Jules se régalait à régner sur tous les malades qu'on lui mettait à disposition, mais en plus on lui demandait de former des apprentis. Il avait rajeuni de dix ans. Cerise sur la pâtée, il était tombé amoureux d'une braque de Weimar, Victoire, une ancienne détectrice d'explosifs que sa coéquipière gendarme était venue soumettre aux tests. J'étais heureuse pour lui. Mais il ne me voyait plus.

C'est là que Zibal, de son côté, a entrepris d'oublier ses problèmes de fertilité dans les bras de sa directrice financière. Un texto anonyme m'en a informée – carte SIM prépayée dont le numéro n'était déjà plus attribué quand je l'ai composé. Vu le ton et les détails, j'en ai déduit que le message émanait de la maîtresse elle-même, dans le but de faire place nette. Zibal a été pathétique, lorsqu'il a nié leur liaison. Je me suis retenue de lui montrer le texto, pour lui conserver un minimum d'estime. Aucune envie de le voir s'enferrer dans des réfutations grotesques. Ce n'est pas son infidélité que je lui reproche, c'est le manque de confiance qu'il m'a témoigné en refusant de l'admettre.

Fred, qui était de passage pour lui présenter de nouveaux investisseurs, a tenté de me tirer les vers du nez. Presque aussi vite que Jules, elle perçoit toujours les émotions que j'essaie de cacher.

– C'est quoi, le problème avec Zibal ?

– C'est toi. La pression financière à laquelle tu le soumets.

Elle n'a pas relevé l'allusion. Ni l'injustice de mon reproche : elle n'avait fait que recommander à Zibal la gestionnaire qui avait le meilleur profil. Mais ce n'est pas à Fred que je me suis confiée. C'est à l'adjudante Marjorie Ménières.

On s'était rencontrées lors des formalités d'admission de nos chiens. On a le même âge, elle est aussi brune et raide que je suis blonde et floue ; on a sympathisé tout de suite. Comme moi, elle avait très mal vécu la dépression de ces « pros » qui ne supportent pas d'être démobilisés, mais la situation de sa Victoire était bien plus grave que celle de mon Jules. Formée durant trois ans au CNICG, le Centre national d'instruction cynophile de la gendarmerie, la braque de Weimar avait intégré l'Unité de surveillance antiterroriste du plan Vigipirate.

Insoupçonnable et décalée avec sa finesse racée de concours d'élégance, ses beaux yeux jaunes et son poil marron glacé, elle évoluait au milieu d'un contingent de malinois dont elle surpassait les performances. Durant l'Euro 2016, affectée à la détection des ceintures d'explosifs au Stade de France, elle avait flairé un suspect. Comme on le lui avait enseigné, elle était allée le « marquer » en s'asseyant tranquillement à ses pieds. Le temps que Marjorie et ses hommes se précipitent pour neutraliser le kamikaze, il s'était enfui pour se faire sauter. Aucun mort, grâce aux cordons de sécurité. Mais des éclats de ses os avaient perforé la truffe de Victoire, qui avait perdu l'odorat.

La dépression due à sa mise sur la touche avait gagné sa maîtresse. Harcelée par les psys de la gendarmerie qui la soumettaient sans cesse à des tests de comportement, dans la crainte que la haine et l'esprit de vengeance ne la rendent dangereuse pour les délinquants, Marjorie avait fini par les envoyer paître en prenant le congé maladie auquel ils l'incitaient. Démobilisées, la gendarme et sa chienne avaient vécu trois mois terrées dans leur pavillon de banlieue, comme deux préretraitées qui ne comptent plus pour personne. Jusqu'à la petite annonce de recrutement dans *Le Républicain lorrain*. La perspective que Victoire puisse retrouver une raison de vivre sans son flair, en captant des ondes cérébrales annonçant une crise d'épilepsie, constituait désormais le seul espoir, le seul but de Marjorie.

Spontanément, Jules était allé renifler la jolie braque, et lui avait appris la règle du jeu avec les épileptiques. Dès que ceux-ci envoyaient un signal dans leur tête, il fallait leur aboyer dessus, leur donner l'ordre de se coucher, puis s'allonger sur eux. Lors d'une journée Portes ouvertes, tandis que Zibal était retenu en réunion financière, Marjorie et moi avions assisté, impressionnées, à cette formation accélérée de l'ancienne auxiliaire de gendarmerie par l'ex-guide d'aveugle, qui s'était empressé de la grimper dans la foulée de son enseignement. Autant dire que la situation avait créé, sinon un lien, du moins un trouble entre l'adjudante et moi.

On était allées prendre un verre. C'était une fille très cash qui ne s'embarrassait pas de préambules, avec son regard bleu glacier et sa voix sans fioritures. Divorcée d'un connard insolvable dont elle continuait à payer les impôts, elle avait tiré un trait sur les mecs, mais s'était montrée bizarrement clémente quand je lui avais confié les turpitudes de Zibal. Elle l'avait calculé tout de suite, disait-elle, le jour où il avait accompagné Jules à l'école pour son test de recrutement, et elle m'incitait à l'indulgence : « Mieux vaut un gentil qui se partage plutôt qu'un nase qui s'accroche à toi pour la tune. Mais fais comme lui : couche ailleurs, ne pense qu'à toi, sinon tu ne resteras pas longtemps canon. » Ça me faisait drôle de voir cette jolie fille assagie avant l'heure me conseiller de me dévergonder pour rester belle. J'en éprouvais presque l'envie de redevenir bi. Quand on s'est fait la bise pendant la remise de diplômes à l'ESCAPE, le mois suivant, ma bouche s'est égarée vers ses lèvres. Elle m'a dissuadée avec une moue complice en désignant du sourcil Zibal, en grande discussion avec le patron de l'école.

Au cours du buffet dînatoire qui a suivi, on a détourné nos yeux de Jules et Victoire qui fêtaient leurs médailles, l'un sur l'autre. Marjorie, en caraco noir, avait des seins de compétition sur lesquels, en vain, j'ai guetté le regard de Zibal. Elle était pourtant infiniment plus sexy que sa comptable antillaise, botoxée à la limite de la rigidité cadavérique. Je me disais : quitte à se tromper, autant qu'on ait les mêmes goûts... Mais, en ma présence, il feignait de ne remarquer aucune femme. L'amour est plus simple chez les chiens.

– Désolé, je vais être obligé de les séparer, a soupiré le Pr Schotz en venant relier par ses grandes pognes mon épaule à celle de Marjorie. Mme Bühler a choisi Jules.

Son ton était définitif. Le géant neurologue, avec son look de rugbyman et sa barbe en bataille, filait doux comme un agneau devant la vieille petite dame en jean et col roulé qui subventionnait ses recherches. Ancienne déléguée syndicale des Caravanes Rosine, numéro deux français dans les années 60, Antoinette Bühler avait gagné quarante millions d'euros au Loto en 2004. Elle avait racheté le château de son ancien patron, dont elle avait donné jouissance à la mairie d'Oberheim pour ses œuvres sociales, et vivait avec son petit-fils orphelin dans l'une des anciennes fermes du domaine, à trois cents mètres de l'usine désaffectée qu'elle avait mise à la disposition de l'ESCAPE. Souffrant d'épilepsie giratoire depuis le choc nerveux qu'elle avait reçu en devenant millionnaire, la syndicaliste s'était octroyé le major de la promotion en tant qu'assistant personnel.

Jules est descendu de Victoire et s'est précipité vers nous, quand il a vu que le Pr Schotz me présentait sa mécène.

– Il se plaît beaucoup à la maison, m'a assuré Mme Bühler de sa voix catégorique qui avait dû reconduire plus d'une grève. En six jours, il m'a déjà anticipé neuf crises : je ne me déplace plus sans lui.

En le caressant avec la délicatesse d'un maçon promenant sa truelle, elle a conclu :

– Je ne crois pas aux miracles, mais il a transformé ma vie de façon radicale. Hein, le chien ?

L'interpellé a remué la queue, poli, concentré sur le cerveau de sa patiente.

– Je vais bien, là, ça va ? lui a demandé soudain la vieille dame, alarmée par son regard fixe.

Jules a fait volte-face pour retourner renifler Victoire. Il n'avait pas eu un regard pour moi ni pour Zibal, comme ces ados qui s'appliquent à ignorer leurs parents lorsqu'ils sont au milieu de leurs copains. Mme Bühler, elle, était pleinement rassurée.

– On a un code, tous les deux, m'a-t-elle expliqué

avec une bourrade. Quand il ne fait pas attention à moi, c'est que je vais bien.

J'aurais aimé en dire autant. Marjorie n'avait d'yeux que pour sa chienne qui, indifférente à ses appels comme aux avances de Jules, passait d'un épileptique à l'autre en offrant ses services avec un air de mendicité. Zibal, lui, était en grande discussion avec Jérôme Schotz. Le courant passait très fort entre l'inventeur compulsif qui faisait dialoguer les bactéries et le chercheur obsédé par la télépathie épileptique :

– Ce n'est pas le flair qui est seul à même de détecter les signes avant-coureurs de la perturbation cérébrale : j'en ai la preuve avec la petite braque. Mais ce ne sont pas non plus des ondes électromagnétiques : les chiens annoncent l'arrivée d'une crise même quand je les place dans une cage de Faraday. Non, les seules ondes qui peuvent franchir la barrière de Faraday, ce sont les ondes scalaires...

– ... qui progressent en vortex, a achevé Zibal. Les mêmes qui font circuler l'information entre les végétaux. Les mêmes qui permettent, je l'ai démontré, des échanges entre les cellules de notre corps et celles qu'on nous a prélevées dans une éprouvette.

Les mêmes qui sont à l'œuvre chez les magnétiseurs qui soignent à distance.

– Vous voulez qu'on fasse une publication commune dans *Science* ?

– Oui, et je peux vous présenter les partenaires chinois que ma directrice financière fait venir la semaine prochaine. Ils versent des crédits illimités à tous les programmes de recherche touchant aux ondes scalaires.

J'ai rejoint au buffet Marjorie, qui se laissait draguer par le barman pour oublier le détachement de sa chienne. Par discrétion, je suis allée m'abreuver plus loin.

C'est au cinquième verre de blanc que j'ai pris ma décision.

*

Je suis partie, mais je n'ai quitté personne. Mon labrador et mon homme ont voulu vivre leur vie ; ils sont amoureux ailleurs et j'ai trop de fierté pour assumer un rôle de laissée-pour-compte. J'avais le choix : me perdre en essayant de les reprendre, ou me retrouver en acceptant qu'ils soient heureux sans moi. Et renouer, du coup, avec mon univers d'avant. Avec la passion qui, elle aussi, m'avait trahie.

Quand j'étais aveugle, seule la peinture m'aidait à garder un point de vue. Mon chien me choisissait les couleurs, composait ma palette en poussant les tubes vers moi avec sa truffe, et je ressentais les teintes en fonction de la chaleur qu'elles dégageaient sous mes doigts. Je croyais inscrire sur la toile une vision du monde joyeuse et tonique, fidèle à l'image que mes décolletés flashy et mes minijupes moulantes devaient donner de moi. Lorsque la cornée artificielle m'a rendu l'usage de mes yeux, j'ai découvert les portraits anxiogènes, les paysages plombés que j'avais livrés à mes proches et au public. Je voulais tant qu'ils admirent ma résilience solaire – ils n'avaient pu que me plaindre en silence pour ces fenêtres que j'ouvrais sur ma nuit intérieure. J'ai vidé mon atelier, j'ai sorti dans la rue mes tableaux, mon chevalet, mes cadres, et j'ai appelé le service des encombrants. Il a fallu que mon nouveau monde s'écroule et que mon couple se casse pour que, de nouveau, je me raccroche aux pinceaux. Mais pas les miens, cette fois.

Le jour où Fred m'a parlé de la Thaïlande, de cette école de peinture pour éléphants qui cherchait un artiste contemporain désireux d'encadrer leur travail, j'ai sauté sur l'occasion. Une vraie planche de salut, qui me fournissait le prétexte idéal pour prendre le large, sans autre explication qu'un engagement professionnel. Zibal était content pour moi. Il se reprochait d'avoir trop souvent fait passer son travail avant notre vie commune. Il disait que, maintenant, on serait à égalité.

Quelle ironie, la vie. Jules apprend à ses congénères ce qu'il a découvert tout seul, par empathie et par instinct, au contact d'un petit garçon épileptique. Et moi, désormais, j'enseigne les secrets d'un art que je ne pratique plus à des pachydermes qu'on se met à considérer, de ce fait, non plus comme des victimes en puissance, des profits à court terme, mais comme des placements d'avenir. Je les aide à se vendre, quoi. Lors des dernières enchères de Christie's à Londres, un tableau de Soto, une artiste de quatre ans et trois tonnes cinq, a atteint les dix mille dollars. Ainsi, la valeur marchande de l'éléphant ne se résume plus aux défenses que les braconniers lui arrachent après l'avoir tué.

Au Maetaeng Park de Chiang Mai, le travail que je me suis assigné est simple : apprendre à mes élèves l'art de l'autoportrait. Ça n'a rien d'une chimère ; l'éléphant est l'un des rares mammifères à posséder la conscience de soi. Mieux encore que le dauphin et le chimpanzé, il a réussi le test du miroir conçu par Gordon Gallup : non seulement il se reconnaît dans son reflet, mais il agit en fonction de son image. Ainsi, découvrant dans la glace la croix de peinture blanche que, des heures plus tôt, on a tracée à son insu derrière son œil gauche, il frotte sa peau avec sa trompe afin d'essayer de l'enlever. D'où j'ai conclu que cet animal, pour peu qu'on lui apprenne à dessiner ce qu'il voit dans le miroir, pourrait avoir le sentiment de reproduire sa propre image.

Très vite, mon hypothèse s'est vérifiée. Il fallait des mois jusqu'alors aux dresseurs du Maetaeng Park pour enseigner à un pachyderme comment peindre un pot de fleurs, dont fondamentalement il n'a rien à fiche. En quinze jours, avec une facilité et un plaisir déconcertants, mes élèves sont passés à l'autoportrait. Miroir à droite, chevalet à gauche, pinceau au bout de la trompe, ils se représentent en moins de cinq minutes, à la demande, aussi bien en privé que sous l'œil des touristes. Depuis que j'ai mis au point cette attraction, les patrons du parc défaillent d'enthousiasme devant l'accroissement de leurs bénéfices : j'ai triplé le nombre de visiteurs et quintuplé la cote de leurs artistes. Mais pour moi, la plus belle reconnaissance est celle que ces derniers me témoignent. Fait rarissime, paraît-il, la plus productive de mes élèves, une femelle matriarche, est même venue me présenter son petit qui apprenait à marcher entre ses pattes. Était-ce pour que je l'initie au portrait de famille ?

De telles marques de confiance et d'amitié m'ont guérie du mal d'amour. Je n'oublie rien, mais je n'y pense plus. Pas le temps. Pas le cœur à faire écran à ceux qui ont envie et besoin de ma présence. Il n'y a pas d'Internet sur le parc, il faut gravir une colline à trois kilomètres pour attraper du réseau et je m'en abstiens. À l'atterrissage, j'ai prévenu Zibal que j'étais bien arrivée et que je ne pourrais plus donner de nouvelles. Je m'autorise encore trois semaines de silence, jusqu'au grand vernissage que je parrainerai à Bangkok. Les responsables du parc m'annoncent que l'expo d'autoportraits, que j'ai intitulée en français *Trompe-l'œil*, sera couverte par les médias du monde entier. Dans mon contrat, j'ai exigé que tous les bénéfices soient versés aux associations de lutte contre les trafiquants d'ivoire.

Je suis contente de la mission que je me suis donnée pour convertir ma souffrance en altruisme. Ce n'est pas une fuite. C'est une autre manière de rester en phase avec mon chien, maintenant qu'il n'a plus de raison objective de veiller sur moi. Ces éléphants peintres, de par leurs facultés extraordinaires que je mets en lumière et l'émerveillement qu'elles inspirent, sont comme Jules et ses collègues au service des épileptiques : les meilleurs ambassadeurs qui soient pour la cause animale.

Il est couché sur le ciment dans une cellule-cage de deux mètres carrés. Dès qu'il nous sent, il bondit sur ses pattes et aboie comme je ne l'ai jamais entendu. Terrorisé, furieux, aphone. Je m'agenouille devant lui, glisse les bras entre les barreaux luisants de bave pour toucher son poil raide, humide, souillé.

– C'est moi, mon chien, c'est moi... Tout va bien.

Il le sait que c'est moi, et que rien ne va. Pourquoi l'a-t-on arraché à sa protégée, à son devoir, pour l'enfermer dans ce couloir de la mort au milieu de la rage, de la peur, des hurlements des autres détenus ? Je le revois, le jour de notre rencontre à Orly, dans la cage Air France où le personnel au sol l'avait bouclé, au mépris de son statut de chien d'assistance. La même incompréhension, la même colère impuissante – sauf qu'il était seul en butte à la cruauté humaine. Aujourd'hui, sa panique hargneuse et désespérée, décuplée par celle de cent congénères enfermés autour de lui, n'est plus qu'un sursaut d'agonie. Et moi je n'ai pas les moyens d'intervenir. Il le sent, ça aussi. J'étais devenu son copain en trois secondes à l'aéroport, dans ma tenue rayée de vendeur Ladurée, quand j'avais fait le coup de poing pour le délivrer et le rendre à Alice qui partait se faire opérer de la cornée. Mais j'avais la loi de mon côté, ce jour-là : une réglementation européenne qui interdit de séparer les aveugles de leur guide. Aujourd'hui, c'est Jules, le délinquant. Et la justice a rendu un arrêt de mort. Ses hurlements sont sans prise, les convulsions qui agitent son corps ne s'apaisent pas sous mes doigts.

– On va te sortir de là, mon grand.

Ses mâchoires se referment à cinq centimètres de mon poignet.

– Faites attention, me dit l'employé de la fourrière. Il est super agressif.

Je me retiens pour ne pas le fracasser contre les barreaux.

– Ouvrez cette cage, tout de suite !

– Je ne suis pas habilité : il faut la présence du vétérinaire. C'est un B 4.

Un B 4. C'est le code qu'ils m'ont donné au téléphone. Un chien estampillé dangereux, vicieux, irrécupérable. Un condamné en instance, qu'on n'a le droit d'extraire de sa cellule que pour l'injection fatale. Le produit rose qui videra une cage, comme dans un hôpital on dit qu'on libère un lit.

– Sortez-le de ce trou ! C'est ça qui le rend agressif !

Fred s'efforce de retirer mes mains de la vareuse du fourriériste. Elle me désigne les deux gendarmes qui descendent de voiture, à l'entrée du chenil. Je repose le type sur le sol. Elle a raison. Avec mon physique de djihadiste en puissance qui me vaut trois contrôles par jour dès que je quitte mon entreprise, ce n'est pas la peine que je me fasse enfermer pour complicité avec mon chien.

Je recule d'un pas en fixant Jules. Il a cessé d'aboyer quand j'ai lâché son geôlier. Il se recouche sur le ciment, à nouveau prostré, les paupières tombantes. Ils l'ont bourré de tranquillisants. C'est dingue. On est à moins d'un quart d'heure de l'école où nous avons fêté son diplôme, un mois plus tôt, en présence du maire qui a posé pour les photos de presse avec lui, major de sa promotion. Le même maire qui, aujourd'hui, vient de signer son arrêt de mort.

Je m'avance à la rencontre des forces de l'ordre, talonné par Fred qui redoute mes accès de violence. Elle est aussi remontée que moi, mais elle sait se contrôler, elle. Depuis dix ans, elle se bat contre un cancer de la lymphe au moyen d'un protocole personnel qu'elle appelle le « sulfate de mépris », et elle ne cesse de répéter aux médecins, quand ils tentent de lui faire peur, que seul le sang-froid est source d'efficacité.

Les gendarmes nous saluent, coup d'index sur la visière, poignée de main. Sur un ton d'autorité courtoise, je me présente avec mon passeport français, mon certificat de résident belge et ma carte de PDG de SolarPlant, puis je les remercie d'avoir répondu si vite à mon appel, ce qui évitera que la situation ne dégénère en scandale médiatique.

– Restez calme, monsieur.

– Je suis très calme, j'ai appelé France 3. Ça serait bien qu'on règle le problème avant que les caméras ne soient là, non ?

Les gendarmes se tournent vers l'employé de la fourrière pour réclamer un coin tranquille.

– C'est la mauvaise heure, ronchonne l'autre en désignant les bureaux où s'entassent râleurs accusés d'abandon, insolvables en colère refusant de payer l'amende pour divagation et adoptants qui s'insurgent contre les conditions inhumaines de ce camp de rétention.

– Il reste la chambre, finit-il par grommeler.

La *chambre*. Je comprends son ton gêné, dès qu'il nous ouvre la porte de la pièce à néon verdâtre. C'est le nom qu'ils donnent au local où ils euthanasient. Les gendarmes regroupent des tabourets, et on prend place de part et d'autre de la table de soins d'où pendent des sangles raidies par le sang. Ils sortent le dossier de Jules, et nous ses références à l'en-tête de la FFAC et de l'ESCAPE. Sur le skaï bleu labouré par des centaines de griffes, j'étale son permis de conduire les aveugles, son diplôme de chien d'alerte épilepsie qu'on vient de prendre au passage à l'école d'Oberheim, ainsi que son certificat médical annuel de bonne santé physique et mentale, datant de moins de trois mois. J'y ajoute le témoignage écrit que nous a adressé via l'ESCAPE l'adjudante cynophile Marjorie Ménières, et le mail procédurier que vient d'envoyer à l'instant, sur mon smartphone, l'avocate de *30 millions d'amis* grâce à qui, depuis 2015, les animaux ne sont plus assimilés par le code civil à des meubles.

Les gendarmes jettent un œil rapide sur les documents, auxquels ils répondent par une feuille pliée en quatre signée par un vétérinaire du cru :

Chien au comportement agressif délibéré.
A soudainement et sans raison attaqué un adolescent au domicile de sa grand-mère, alors que celui-ci travaillait paisiblement sur son ordinateur.
Morsures aux deux poignets et traumatisme crânien dû à la chute provoquée par le labrador, qui a maintenu la victime au sol jusqu'à ce que sa grand-mère et l'employé de maison parviennent à le maîtriser.
Causes possibles : accès de démence canine.
Sachant que la victime est le petit-fils de Mme Bühler Antoinette, personne épileptique dont le chien assure l'assistance, il peut s'agir également d'un comportement de jalousie caractérisée à l'égard d'un membre de la famille.
Euthanasie préconisée.

Mes doigts se crispent sur l'histoire impossible que raconte ce papier. Fred réplique en citant la jurisprudence qui, dans un tel cas de figure, rend obligatoire une contre-expertise si les propriétaires du chien la réclament.

– La seule propriétaire désignée par le tatouage, c'est Gallien Alice, objecte l'un des gendarmes.

Fred sort de son sac la demande écrite d'évaluation psychologique qu'elle a rédigée dans sa voiture, imitant la signature d'Alice avec un naturel irréprochable. J'ajoute :

– Le Dr Éric Vong arrive par le TGV de 16 heures, il vient de m'appeler. C'est un vétérinaire comportementaliste expert près la cour d'appel de Paris, dont les publications font autorité dans le monde entier. Il compte d'ailleurs dans sa clientèle les deux teckels du garde des Sceaux. Le cas échéant, France 3 l'invite au JT de ce soir.

Le regard en biais qu'échangent les deux gendarmes est facile à sous-titrer : tout ça pour un clebs.

– Ce n'est pas la peine de nous la jouer Paris qui débarque, réplique le plus gradé. Ce genre de pression, monsieur, on a ça toute la journée. Le maire qui a signé l'arrêté d'éradication des animaux dangereux, c'est le numéro 3 d'Europe Écologie Les Verts. Et l'auteure de la plainte, la grand-mère de la victime, c'est la cinquième fortune du département et l'amie intime de la préfète. Vous voyez le topo ?

Je consulte Fred du coin de l'œil. Les forces en présence s'annoncent beaucoup moins inégales que prévu. Je réplique :

— Jamais ce chien n'aurait pu faire une chose pareille. Donnez-nous plutôt le profil psychologique du gamin.

— Ah bon ? Vous l'accusez d'avoir simulé une morsure pour toucher l'assurance ?

L'élan goguenard du gradé se délite dans mon regard assassin. Il me demande quel est mon lien avec l'animal.

— Il m'a sauvé la vie, dis-je pour simplifier. Je suis l'ex-compagnon de sa maîtresse.

— Et vous ?

— Pareil, glisse Fred. Elle travaille à l'étranger, actuellement. Mais le statut de chien d'assistance est particulier : Jules a été confié par Alice à l'ESCAPE, fondation dont la couverture juridique et la responsabilité civile s'exercent dans le cadre de la mission à domicile des chiens, comme c'est le cas en l'occurrence.

— Ça ne l'est plus. Le directeur de l'ESCAPE s'en

remet au diagnostic du vétérinaire. Conformément aux statuts, l'animal a été rayé de ses effectifs.

J'en laisse tomber mon portable. Entre sa mécène et son champion, le Pr Schotz a fait le choix de la raison.

– Et qui paie la facture ? enchaîne le gendarme.

– Quelle facture ?

– Indépendamment de la procédure judiciaire qui fixera le montant des dommages et intérêts, les frais d'euthanasie sont à la charge du propriétaire de l'animal.

Le silence retombe autour de la table de soins, dans les remugles de sang et d'urine. Des jappements joyeux retentissent soudain à l'extérieur. Par le petit vasistas, entre les lamelles du store vénitien, je vois deux employés sortir de sa cage un pitbull en laisse qui leur fait la fête, trop heureux de partir en promenade. Ils le musellent, sortent du cadre de la fenêtre, et le fond sonore est à nouveau dominé par le concert poignant des gémissements de détresse.

– Vous n'imaginez pas les problèmes d'insécurité qu'on doit gérer en ce moment, soupire le plus jeune des gendarmes. Si les chiens s'y mettent aussi…

Notre porte s'ouvre à la volée. Métamorphosé, le pitbull aboie de toutes ses forces, freinant des quatre pattes sur le ciment, se raccrochant aux jambes des employés.

– Excusez-nous, disent-ils aux gendarmes sur un ton administratif.

– On vous laisse la place, répond le gradé.

Et il nous fait signe de sortir.

*

Un crachin froid tombait sur la fourrière. Ils nous ont invités à monter dans leur véhicule pour consigner notre déposition. J'ai raconté Jules, son parcours, son caractère, évitant de m'attarder sur le traumatisme qu'il avait subi quand sa maîtresse avait recouvré la vue. J'ai insisté sur la pression terrible que subit un chien d'alerte épilepsie, toujours à l'affût des signaux émis par le cerveau de l'humain qu'il a pris en charge. Et j'ai relaté comment il avait assuré la réinsertion d'une détectrice d'explosifs de la gendarmerie, blessée dans l'exercice de ses fonctions, en lui transmettant ses perceptions et ses connaissances techniques.

Le plus jeune a fait défiler sur l'écran de son PC

le témoignage qu'il venait de saisir, a corrigé l'ortho-graphe en ajoutant des fautes. Pendant ce temps, son chef informait au téléphone les services de la mairie qu'il y aurait un léger contretemps concer-nant l'exécution de la sentence. Dans ma tête, l'image atroce de Jules traîné vers la chambre d'euthanasie a succédé à celle de son idylle avec Victoire. Il était très clair que, dans son dossier, l'exploit d'avoir rendu sa dignité canine et sa raison de vivre à une chienne antiterroriste ne pèserait jamais plus lourd que le fait d'avoir mordu le petit-fils d'une amie de la préfète.

*

À 16 h 20, Éric Vong est arrivé sur le site. Man-teau en cachemire prune, attaché-case Hermès, caméraman France 3 et preneur de son collés à ses basques, il a exigé que l'examen de Jules ait lieu dans le van Mercedes qui était venu le chercher à la gare.

En moins de cinq minutes, l'atmosphère délétère de la fourrière s'était modifiée de façon radicale, sous l'autorité naturelle et le magnétisme à outrance émanant du comportementaliste le plus écouté d'Europe. Analysant et coachant leurs animaux, il régnait sur les plus grands noms de la politique, de l'industrie, du sport, du cinéma et de la presse. Une interview de lui suffisait à fermer un chenil, un zoo, un cirque, à mettre en examen pour cruauté mentale le patron d'un abattoir, le gérant d'un élevage en batterie ou le producteur d'un spectacle de dauphins. Ses ouvrages de psychologie animalière, traduits dans quinze langues, faisaient autorité auprès des millions d'humains qui avaient cessé de croire en l'homme.

Il m'avait rappelé dès que sa secrétaire lui avait transmis mon message. Depuis qu'il avait reçu Jules en consultation, lors de sa dépression provoquée par la guérison d'Alice, son cas le passionnait au point qu'il était en train de lui consacrer tout un livre : *Le chien qui voyait pour elle*. Pas question de toucher à son sujet, de le priver de son héros. D'un claquement de doigts, il a fait ouvrir la cage du B4 au responsable de la fourrière.

– Calme et sérénité, Jules ! a modulé l'ascète filiforme, lorsque quarante kilos de reconnaissance l'ont collé contre les grilles.

Comme s'il recevait une décharge électrique, le labrador est aussitôt retombé sur ses pattes pour

54

venir me renifler. Mais il ne me faisait pas la fête. Non, il vérifiait juste que c'était moi. Tous ses repères, j'imagine, avaient volé en éclats depuis son arrestation : même ses souvenirs les plus familiers étaient devenus des dangers en puissance. Chez lui, l'instinct du chasseur avait cédé la place à la méfiance du chassé. Lorsque les deux gardiens en uniforme gris se sont approchés de lui avec laisse et muselière, il a reculé en leur montrant les dents, secoué par un grognement sourd.

– Pas bouger, leur a ordonné à mi-voix le comportementaliste.

Les types lui ont obéi, ont lentement rebroussé chemin quand il leur en a donné le signal. Vong a présenté sa paume devant la truffe du chien, après y avoir vaporisé un nuage de parfum. L'atomiseur rangé dans sa poche, il a reculé lentement hors de la cage, main tendue devant lui, et le labrador l'a suivi, comme tiré par une laisse odorante. J'ai pensé un instant que le thérapeute s'était procuré *Youth Dew*, le parfum d'Alice. Mais non, ça sentait la mangue avariée. Il devait s'agir d'un extrait de phéromones provenant d'une chienne en chaleur, vu le début d'érection qui avait succédé au stress défensif de son patient.

Éric Vong a ouvert la porte arrière du van aux vitres noires, a glissé à l'intérieur sa main agitée d'un lent mouvement rotatif. Jules est monté prudemment, le comportementaliste l'a suivi et a refermé derrière eux.

– C'est bon pour moi, a commenté le caméraman.

La pluie s'est remise à tomber, et on est allés se réfugier sous l'auvent. Quand Vong est ressorti du van, dix minutes plus tard, on a juste eu le temps d'apercevoir Jules couché sur le dos, immobile, les pattes repliées. Le psy animalier a refermé la porte et s'est avancé vers l'équipe de tournage.

– Ce sera tout, messieurs, merci. Je reste en contact avec votre chef d'antenne pour un éventuel direct ce soir. Bonne fin de journée.

Les France 3 ont regagné leur break, on est restés seuls avec les gendarmes. Alors, d'une voix égale, Vong a rendu son verdict :

– J'ai d'abord pensé à un parasite dans l'oreille interne, qui peut déclencher des impulsions d'agressivité incoercibles. Mais il n'en montre aucun symptôme. C'est un problème d'ordre mental.

– « Mental », c'est-à-dire ?

L'expert a poussé un long soupir où la compétence péremptoire se nuançait de compassion :

– Il est totalement désaccordé. Pas seulement par la détention ou la contagion psychosomatique du stress de ses congénères. Non, ça n'a rien à voir avec une simple hostilité extérieure, que son dressage lui permettrait de gérer. En fait, il éprouve les séquelles d'une terreur dont l'origine lui est inconnue. C'est ce qu'il m'a montré. Je n'en sais pas davantage que lui. Je l'ai à peu près réaligné en intervenant sur le canal émotif, mais je veux comprendre. J'exige une confrontation *in situ* avec son agresseur.

– Sa victime, vous voulez dire, s'est rebiffé le plus jeune des gendarmes.

– J'ai dit : son agresseur. Ce chien a été profondément terrorisé, je vous le répète. Il m'a communiqué des images qui font froid dans le dos. J'ignore si elles sont mémorielles ou prémonitoires et je n'en dirai pas plus, pour éviter d'influencer votre perception. Mais, dans l'intérêt général, il faut procéder sur-le-champ à une reconstitution des faits avec l'adolescent qu'il a mordu.

– Non, mais ça suffit, là ! a explosé le gradé.

C'est nous, les autorités ! C'est nous qui décidons une reconstitution ou non !

Pour toute réponse, le comportementaliste a sorti son portable, rappelé le dernier numéro composé, murmuré «Ne quittez pas», et tendu l'appareil aux autorités en précisant :

– Votre colonel.

Et il nous a entraînés à l'écart, Fred et moi, pour qu'ils se fassent humilier sans témoins.

– Je travaille avec les chevaux de la Garde républicaine, nous a-t-il expliqué, je suis leur préparateur mental. Le commandant de la Garde a joint celui du Groupement de gendarmerie départementale, lequel m'a promis d'intervenir auprès du maire d'Oberheim.

– Mais qu'est-ce qu'il a contre les chiens, ce taré ? a craché Fred qui, lunettes au bout du nez, n'arrivait plus à gérer les urgences qui se bousculaient sur l'écran de son iPhone.

– C'est le seul élu de gauche dans un bastion FN, a soupiré Vong. *De facto*, il a déclaré la guerre aux pitbulls et autres molosses qu'on dresse en toute impunité contre les migrants, dans les cités voisines. Jules a souffert du contexte politique, voilà tout. Mais la situation va se détendre, a-t-il conclu avec un bon sourire tourné en direction des gendarmes qui revenaient vers nous.

– Message reçu, a grommelé le gradé en lui rendant son portable.

– Bien. Nous allons donc procéder à une reconstitution immédiate : j'ai mon train à 19 h 12.

L'autre l'a informé que le gamin se trouvait en observation à l'hôpital.

– Parfait. L'un de vous s'occupe de son transfert sur la « scène du crime », a-t-il susurré en mimant des guillemets, tandis que le second monte avec moi dans la voiture de madame pour nous y conduire. Donnez l'adresse au chauffeur de mon van, qui nous suivra avec le chien et son maître : Jules a besoin d'un sas de reconnexion avant de revivre le traumatisme d'hier matin. Moi, je profiterai du trajet pour régler au téléphone les formalités administratives concernant la fourrière. Allez, hop !

Il a tapé deux fois dans ses mains, avec la fermeté festive d'un GO du Club Med qui vient de définir les règles d'un jeu, et les trois équipes se sont mises en route.

*

À l'arrière du van, sur la banquette en cuir, Jules a gardé ses distances avant d'accepter mes caresses. Puis il a entrepris de me labourer le visage à coups de langue frénétiques. Ce n'était pas de la joie, ni du soulagement, ni de la gratitude. Ça n'avait rien à voir avec les débordements d'affection qu'il m'avait toujours prodigués. Non, j'avais l'impression qu'il me nettoyait, qu'il me décapait dans l'espoir de me reconnaître.

Mais ce n'est pas moi qui avais changé.

Il est descendu de mes genoux, est allé se coucher en rond sur le tapis de sol. Entre ses pattes, il a bloqué la laisse en plastique noir qu'avait fixée à son collier l'employé de la fourrière. Et il s'est mis à la mordre, à la ronger comme si elle le retenait encore prisonnier. J'imagine les relents de peur et de souffrance qu'avaient dû y imprimer tous les chiens dont elle avait accompagné le dernier voyage. Je l'ai retirée, enroulée, cachée dans ma poche. Il m'a laissé faire avec un regard en dessous, attentif, méfiant.

J'ai sorti mon téléphone qui bourdonnait. Ma directrice financière. J'ai attendu que son prénom disparaisse de l'écran, puis j'ai envoyé un long mail à Alice.

Il est couché sur une table de vétérinaire. Il tremble de froid, je me sens glacée. Des coups résonnent, très fort. Il ne réagit pas. À la fois il m'appelle et il ne veut pas que je me dérange. Il me prévient qu'il va me quitter, encore. Mais là, ce ne sera pas pour s'occuper de quelqu'un d'autre. Il me dit adieu.

Je me réveille en sursaut, trempée de sueur. On cogne contre les planches de mon bungalow. Le cœur en vrille, je cours noyer les relents du cauchemar dans un bol de thé vert. J'en ai marre de la culpabilité. J'en ai marre que Jules me poursuive la nuit sans trêve, sans demande, sans espoir. Je commence vraiment à aller mieux, pourtant. À faire mon deuil, à supporter la solitude en groupe, à reprendre goût à la vie… Contre la porte du bungalow, les coups de trompe s'intensifient. Une douche, une tartine, j'enfile mon short et je rejoins Samantha.

Depuis qu'on s'est trouvées, toutes les deux, elle m'aide à oublier mon chien – du moins à ne plus souffrir de sa désaffection vingt-quatre heures sur vingt-quatre. On dirait d'ailleurs que c'est pour cela, pour cette douleur, pour ce manque, pour cette détresse sans prise que la vieille éléphante m'a choisie, qu'elle est venue vers moi, qu'elle m'a donné son pneu. Cette roue de camion, c'est son doudou depuis qu'elle a été recueillie ici, en provenance d'un centre d'éléphanthérapie où, devenue trop rhumatisante pour pouvoir balader les touristes en nacelle sur son dos, le personnel la battait à coups de barre à mine. Dans ces villages-vacances de remise en forme, quand les animaux ne peuvent plus servir de promène-couillons, ils font office de défouloir. C'est ça, l'éléphanthérapie. L'un des voyages à thème les plus en vogue sur le Net, paraît-il, après le tourisme sexuel, la visite des camps de concentration et les lieux de tournage de *Game of Thrones*.

L'offrande de son pneu, c'est plus qu'une marque d'allégeance, m'a indiqué son soigneur qui n'en revient pas. C'est une preuve de confiance absolue.

Selon toute apparence, ce doudou autour duquel s'enroulait sa trompe lui tenait lieu de pare-chocs mobile en présence des humains. Il y a dans les bungalows voisins quatre anciens des Beaux-Arts, bien plus aguerris que je ne le suis à l'enseignement technique, mais c'est avec moi, pour moi, que Samantha veut peindre. Ses autoportraits, il me sont destinés, comme une confidence, comme un legs. Mais elle refuse de reproduire la tête que lui renvoie le miroir. Elle ne consent à peindre que son pneu.

Singh, son soigneur, vient du sud de la Thaïlande. Il appartient, m'a-t-il dit, à une ONG qui traque les violences sur animaux. Ce matin, en me regardant corriger du bout de sa trompe les traits de pinceau, tout en douceur, il m'avoue soudain que, s'il s'est porté volontaire pour convoyer Samantha jusqu'ici, c'est pour vérifier si les rumeurs de torture sont fondées. Je lâche la trompe pour lui demander de quoi il parle. Il me dit que plusieurs sites Internet dénoncent, vidéos à l'appui, la violence que subissent les pachydermes pour éveiller leur sens pictural, les forcer à reproduire mécaniquement le même tracé de pinceau et les rendre aptes à recevoir nos cours de perfectionnement.

Incrédule, je saute aussitôt dans une Jeep et je

fonce vers la colline de Kum Yot pour avoir du réseau. Ce serait ça, alors, le secret de la docilité créatrice de mes élèves ? Une variante du *phajaan*, cette croyance ancestrale qui prétend séparer par la souffrance l'esprit d'un éléphanteau de son corps, afin qu'il perde son instinct naturel sauvage et soit complètement sous le contrôle de l'homme ? Croyant défendre la cause de ces animaux en danger d'extinction, je serais la complice involontaire d'un formatage artistique par la torture ? Réalité infâme, ou invention colportée par les trafiquants d'ivoire dans le but de discréditer leurs adversaires ?

Au sommet de la colline, deux barres apparaissent sur mon écran, s'effacent, reviennent. Avant d'aller vérifier sur Google les accusations du soigneur, j'ouvre ma messagerie. Parmi la vingtaine de mails en souffrance, deux me sautent aux yeux :

Contactez de toute urgence la fourrière d'Oberheim (54) au sujet du chien labrador Jules dont vous êtes propriétaire, comme indiqué sur son tatouage.

Trois mails plus bas, Zibal m'écrit :

Alice,

Fred me dit que tu es injoignable et que, de toute façon, ça ne sert à rien de perturber le vernissage de tes éléphants en te disant ce qui se passe : tu arriverais trop tard. Mais je sais que tu ne me pardonnerais jamais de t'avoir caché la situation. Voilà : Jules a mordu le petit-fils de son épileptique, il est sous le coup d'un arrêté de mise à mort, et je ferai l'impossible pour le sauver. Il est tout ce qui me reste de toi. De nous. Alors, si tu reçois ce mail, envoie-moi toutes les prières, toute l'énergie, toute la confiance dont j'ai besoin pour empêcher cette horreur. Je t'aime. Malgré ce que tu crois, je suis toujours ce rêveur transparent dont Jules et toi avez bousculé le destin derrière son étal de macarons. Rien ne m'a changé, Alice, ni les échecs, ni le succès, ni le malentendu. Je ne t'ai jamais trompée avant que tu me quittes. Pour moi, aujourd'hui comme hier, personne ne compte à part toi et notre chien. Je te le prouverai. Je sacrifierai tout ce que j'ai laissé se dresser entre nous. Si tu tiens encore à moi. Et même si ça n'est plus le cas.

J'espère que tout se passe bien de ton côté.

L'écran s'est brouillé sous mes larmes. J'agrandis la fenêtre pour relire ce mail qui me casse et me répare à la fois. J'ai peur, j'ai mal, je suis en colère et désespérée de ne rien pouvoir faire, et en même temps la confiance que me demande Zibal m'envahit de phrase en phrase. Bien sûr que je n'ai jamais cessé de l'aimer ; je lui ai simplement laissé le choix, comme à Jules. En me dévitalisant pour moins souffrir, c'est tout. Depuis que j'ai recouvré la vue, tout le monde a oublié que je suis encore, au fond de moi, une handicapée qui se protège. Telle ces anciennes grosses qui pèsent toujours intérieurement le poids qu'elles ont perdu, je manque trop d'assurance pour vouloir m'accrocher, risquer la perte de contrôle ou la désillusion…

Je réserve le premier vol pour Paris. Non, ils ne tueront pas mon chien. Et on ne touchera plus à mon homme. Si, en m'expédiant en Thaïlande, Fred n'a voulu que m'éloigner pour le détourner de moi, c'est raté ! Je suis fragile en amour, mais la guerre je sais faire.

Indifférente aux protestations des organisateurs du vernissage qui comptent sur moi pour les médias, je me contente d'aller faire mes adieux à Samantha. En lui rendant sa roue de secours, je lui explique tendrement que je n'abandonne pas leur cause ; je continuerai de la soutenir à distance. Mais je m'assurerai que les « bienfaiteurs » qui exploitent leur talent pictural n'ont rien à voir avec les tortionnaires qu'on dénonce sur le Net. Et je prendrai de ses nouvelles très souvent.

L'éléphante recourbe sa trompe, reprend son pneu et me tourne lentement le dos pour abréger la séparation.

Les travaux d'une zone piétonne nous ont immobilisés vingt minutes. Après les coups de langue du départ, Jules a passé tout le temps du trajet à dormir, la tête sur mes pieds. Un sommeil agité, troublé par des grognements de cauchemars et de brefs réveils où, les yeux dans mes yeux, c'est lui qui essayait de comprendre ce qui se passait dans ma tête. C'est du moins l'impression que me donnait son regard inquiet, confiant malgré tout, mais tellement perturbé.

Suivant toujours la voiture de Fred, le van longe les grilles du château d'Oberheim transformé en centre de réinsertion sociale, puis l'ancienne usine de caravanes mise à la disposition de l'ESCAPE. Une grande pancarte aux couleurs délavées par le soleil et la pluie continue de proclamer sur le toit : « Rosine, votre plus belle maison de vacances ! »

L'entrée de service se trouve de l'autre côté du parc de soixante hectares, seule enclave de nature préservée entre les zones pavillonnaires, les centres commerciaux et les cuves de piscine érigées en menhirs. Le van franchit les grilles rouillées, entortillées de liseron, qui ont dû rester ouvertes depuis des décennies. À droite de l'allée plantée de tilleuls centenaires, un petit troupeau de vaches. À gauche, la gamme Rosine : vingt-cinq caravanes des années 50 à 80 disposées dans l'herbe, remises à neuf, rutilantes, l'attelage reposant sur des parpaings. D'autres collectionnent dans des vitrines les modèles réduits de leur enfance ; Antoinette Bühler, elle, expose en show-room son passé de soudeuse-ajusteuse : trente ans d'atelier avant les six numéros gagnants qui lui ont permis de racheter le domaine de son ancien patron.

Jules se réveille en sursaut, grimpe sur la banquette. Dressé, tendu, pattes sur l'accoudoir, il surveille le parc, les vaches, les caravanes vides. Il pénètre sur un territoire hostile. Il revient sur les lieux de son crime.

Je le ramène vers moi, je lui prends le museau entre les mains, je plaque mon nez contre sa truffe et je lui demande :

– Pourquoi tu as fait ça, mon chien ? Tu as voulu défendre Antoinette ? Ta nouvelle protégée était en danger, son petit-fils lui voulait du mal ?

Il se dérobe, regagne son poste d'observation.

Le van pénètre dans la cour d'une grosse ferme en briques beiges, toute balafrée par les restes du lierre mal arraché qui recouvrait naguère les façades. Le chauffeur se gare devant le perron, près du coupé Maserati d'où sortent en se dépliant laborieusement le comportementaliste et le sous-officier de gendarmerie coincé à l'arrière. Ils s'approchent de nous. Le chien se remet à gronder. Ressortant la laisse de ma poche, je lui dis :

– Tout va bien, mon grand. On est là, on est avec toi : il ne peut t'arriver que des bonnes choses. Tu me fais confiance ?

Je n'ai rien vu venir. Sitôt la porte arrière de notre van ouverte par Éric Vong, Jules a jailli d'un bond, renversant son évaluateur et le plaquant au sol. Je lui crie de le lâcher. À fond de train, il traverse le gravier, vaguement coursé sur vingt mètres par le gradé qui renonce, balance la main par-dessus son épaule et se rabat sur son portable.

– Jules ! Ici, au pied !

Ignorant mes appels furieux, le labrador fonce

vers une voiturette sans permis abritée sous un auvent. Il en laboure la carrosserie avec des couinements, puis, obliquant vers l'arrière de la ferme, il s'enfuit à travers champs par un trou dans la haie de thuyas.

Consterné, je rempoche la laisse.

– Mais il est con ce chien, ou quoi ? glapit le comportementaliste que Fred aide à se relever.

– C'est à vous de le dire, grince le gendarme essoufflé en montant le portable à son oreille. Chef Coulomb à l'appareil, on annule le transfert de Bühler Kévin. Comment ? Eh ben tu fais demi-tour, tu le ramènes à l'hôpital et tu le refous en observation ! J'envoie des renforts pour sécuriser le site.

Agrippée à son déambulateur au milieu de la cour, en peignoir molletonné et bonnet de laine, la millionnaire cégétiste me fusille du regard. Des tremblements secouent l'armature métallique. Puis elle se fige soudain, les yeux vides. J'ai du mal à reconnaître la dynamique vieille dame, claironnante et sympa, qui m'avait criblé de compliments sur Jules pendant la remise des diplômes. Dans sa réponse glaciale à mon texto, le directeur de l'ESCAPE m'a confirmé ce matin que, certes, la présence à domicile du labrador et son mode de prévention avaient réduit de moitié les crises de Mme Bühler, mais que l'agression subie par son petit-fils lui avait déclenché une attaque d'une ampleur sans précédent.

Une infirmière en blouse surgit de la ferme en poussant un fauteuil roulant, y installe l'épileptique en esquivant ses mouvements de bras compulsifs, et l'escamote vivement à l'intérieur, laissant le déambulateur renversé dans le gravier.

– Ma collaboration s'arrête là, me signifie sèchement le comportementaliste en brossant son cachemire.

Plus encore que le ressentiment, une vexation rédhibitoire se lit sur son visage. Pire : une blessure d'ingratitude. Il a déjà consacré cent cinquante pages au cas de ce chien d'aveugle désaffecté qu'il était le seul à comprendre, et qui vient de le ridiculiser en public par un placage au sol doublé d'un délit de fuite – alors même qu'il avait certifié une demiheure plus tôt son équilibre mental. Je le retiens par la manche.

– Vous n'allez pas le laisser tomber ?

– C'est lui qui m'a récusé, réplique-t-il.

Et il regagne son van en remontant son col.

– Cette fois, me jette à la face le gendarme, c'est fini : je donne l'ordre de l'abattre à vue.

Et il enchaîne avec une rancœur railleuse, délivré des pressions qu'on exerce sur lui depuis une heure et demie :

– Comme ça, vous économiserez les frais de la piqûre.

Je n'aurais pas dû lui flanquer ce coup de boule. Ils vont encore dire que c'est la faute de Jules. Son agressivité qui déteint.

Il ne sait pas où il va. Il court, c'est tout. Il ne fuit pas, il cherche. Il suit une piste, une trace mentale qui bouge tout le temps. Des visages se mêlent, s'embrouillent dans sa mémoire. Tous ceux qui l'ont abandonné. Tous ceux qui réapparaissent sans rien comprendre. Alice. Zibal. Fred. Et la vieille qu'il aidait à ne plus tomber, la vieille qui l'a fait mettre en cage au milieu des chiens perdus qu'on tue. Et ce type avec qui il a déjà communiqué à Paris, ce type qui l'endort avec sa voix molle en lui envoyant des images sans queue ni tête au lieu de répondre à ses appels, alors qu'il les entend ! Lui seul serait capable de le comprendre, chez les humains, et il écoute de travers parce qu'il ne pense qu'à lui.

Jules s'arrête en pleine rue, boit dans une flaque. À la surface de l'eau, sous ses coups de langue, la tête de chien se brouille. Il pense à Victoire. Il voit Victoire.

Il veut Victoire. Mais quand il pense à elle, il pense comme elle. Alors l'enfant revient. Cet enfant si différent du petit malade de la plage, à Trouville. Cet enfant qui n'a pas besoin de lui, cet enfant qui pense des choses pas bonnes mais qui n'est pas mauvais, cet enfant à qui il fallait juste faire peur pour qu'il change de rêve…

Un hôpital. Cet endroit plein de mort et de souffrance, cette fourrière pour humains. C'est là qu'on a mis l'enfant. C'est là qu'il faut aller. C'est là qu'irait Victoire.

Jules change de direction, de piste, cherche d'autres odeurs, d'autres images, d'autres liens. L'enfant l'attire, à présent, l'appelle. L'enfant avait besoin de peur, d'autorité. Là, il a besoin d'aide. D'amour. Ces choses qui, malgré l'épuisement, la détresse, le mal partout, redonnent à Jules ses forces d'avant, sa joie perdue.

Trouver l'hôpital.

Zibal n'a répondu à aucun de mes messages. Quand j'ai rallumé mon portable en atterrissant, je n'ai trouvé qu'un texto de Fred :

Euthanasie annulée, tout va bien de ce côté-là, pas d'angoisse, mais saute dans le premier train pour Nancy.

Ce que j'ai fait. Au téléphone, elle n'a rien voulu me dire de plus ; elle s'est contentée de me donner un numéro de TGV et l'heure d'arrivée. Son ton était neutre, faussement naturel, comme en présence d'oreilles indiscrètes.

– On t'attend à la gare, a-t-elle conclu en raccrochant.

Sur le quai, le *on* n'était pas ce que je croyais. Aux

côtés de Fred, Marjorie Ménières tenait Victoire en laisse.

– Ne vous en faites pas, on contrôle, me rassure d'emblée l'adjudante en me serrant contre elle. Jules est en sécurité chez moi.

– Et Zibal ?

– Lui, il est au trou, me répond Fred.

– Voies de fait sur un maréchal des logis-chef, précise Marjorie. Ils l'ont gardé cette nuit, mais je vais arranger le coup.

– Il voulait défendre ton chien, une fois de plus, me balance mon ex sur un ton de reproche en me labourant les cheveux. Dis donc, tu as une sale mine.

C'est une diversion, mais c'est sincère. Je lui rappelle que je viens de me taper douze heures d'avion avant de sauter dans son TGV. Sans relever, elle me dévisage avec une crispation des commissures que je connais par cœur. Visiblement, le naturel avec lequel j'ai enlacé Marjorie la contrarie. Mais, sinon, je la trouve très en forme, elle. Lumineuse, adoucie par un maquillage inhabituel. Notre séparation lui réussit. Ou bien son cancer s'est réveillé, et elle donne le change.

– Tous les hôtels sont pleins, enchaîne-t-elle. Gentiment, notre amie nous héberge.

Avec une caresse pour Victoire, je remercie sobrement l'adjudante. Elle confirme, comme si elle éprouvait le besoin de se justifier, qu'il y a plein de congrès en même temps dans le secteur.

– Qui tu veux voir en premier ? coupe Fred en m'entraînant par le bras. Ton mec ou ton chien ?

Marjorie répond pour moi : elle habite au nord de Nancy, la gendarmerie d'Oberheim est sur le trajet.

– Ils m'ont séquestré ma voiture, ces bourrins, marmonne Fred. Soi-disant qu'elle leur fait de la pollution aux particules fines. Si ton mec ne m'avait pas donné le portable de sa copine adjudante, je leur rentrais dans le lard.

Je ne fais pas de commentaire. En s'emparant de ma valise, Marjorie me dérobe son regard avec la même gêne que lorsque ma bouche s'était approchée de la sienne, un mois plus tôt.

*

Sur la banquette râpée du Citroën Berlingo, frissonnant dans ma saharienne hors saison, j'ai une impression bizarre en regardant les deux femmes assises à l'avant. Comme si Marjorie avait pris ma place dans la vie de Fred. La chienne couchée sur mes chaussures à la manière de Jules achève de rendre la situation anachronique, artificielle. J'ai l'impression d'être embarquée dans une reconstitution de télé-réalité où une actrice interprète mon rôle en flash-back, tandis que je suis reléguée au rang de simple témoin de mon passé.

Elles racontent les événements que j'ai manqués. L'arrestation de mon chien pour morsures délibérées sur mineur, le sursis de sa peine de mort obtenu par le comportementaliste, puis le délit de fuite qui a confirmé son statut d'animal dangereux, susceptible d'être abattu à vue.

Je suis atterrée. Ce n'est pas Jules, c'est impossible. Dans le flou nauséeux du décalage horaire, je dois me faire violence pour me convaincre qu'elles ne parlent pas d'un autre chien.

– Et Marjo ne t'a pas tout dit, soupire Fred.

Son regard dans le rétro reflète une hostilité que je commence à trouver pesante. On dirait qu'elle prend un malin plaisir à m'assener les catastrophes. À un feu rouge, Marjorie se retourne pour me raconter la suite, les yeux brillants, le timbre rauque et le débit haché. Une heure après avoir échappé aux gendarmes chez Mme Bühler, Jules a semé la panique dans les couloirs du CHU.

– Vous n'allez pas le croire : il est allé retrouver Kévin, sa victime, au service de traumato. Les infirmières ont donné l'alerte, mais il leur a filé sous le nez.

– Ce n'est plus du harcèlement, c'est de la fixette, commente Fred.

– Mais enfin, vous êtes en plein délire ! Qu'est-ce que vous êtes en train de me dire, que mon chien agresse un môme de sang-froid et qu'il le piste ensuite pour aller l'achever à l'hosto ?

– C'est plus complexe, soupire Marjorie en redémarrant. D'après les infirmières, il lui a fait la fête, il l'a couvert de léchouilles et le gamin s'est laissé faire en disant merci.

– Quoi ?

– C'est quand elles ont voulu l'évacuer pour raisons d'hygiène, complète Fred, qu'il s'est retourné contre elles en montrant les dents. Comme s'il gardait l'ado, comme s'il était responsable de lui.

Je crispe les doigts sur la ceinture de sécurité. Là, je reconnais mon chien. Quand j'étais aveugle et qu'on essayait de le séparer de moi, il réagissait de la sorte.

– Ce gamin, il est épileptique ?

– Non, réplique Fred. Maso, plutôt.

– Mes collègues n'ont pas compris son revirement, appuie Marjorie. Rien à voir avec la plainte qu'il avait déposée avant-hier en présence de sa grand-mère. Il leur a dit qu'il avait menti, que c'était de sa faute.

– Comment ça, « de sa faute » ?

– Version du jour, précise Fred : le gosse a trouvé Jules en train d'aboyer après sa mémé, il n'a pas compris que c'était pour la prévenir d'une crise, alors il a voulu la protéger en les séparant et c'est comme ça qu'il s'est fait mordre.

Je ferme les yeux contre l'appuie-tête. Racontée de la sorte, la situation redevient crédible. Pendant cinq secondes, le temps que l'adjudante enchaîne :

– Le problème, c'est la gamine.

– Quelle gamine ?

– La copine du môme, traduit Fred. Ton Jules était tout câlin avec lui, comme s'il voulait se faire pardonner, et puis, quand la gamine est arrivée, il l'a virée de la chambre. Tout juste s'il ne l'a pas mordue, elle aussi.

– Enfin, c'est ce que racontent les infirmières, nuance l'adjudante. Le môme, lui, affirme qu'elles mentent. On dirait qu'il protège ton chien.

Le tutoiement lui est venu naturellement, par osmose avec Fred, j'imagine. Je ne sais plus quoi penser. Je leur demande le profil de cette nouvelle cible potentielle de Jules.

– Elle est dans le même lycée que Kévin, en seconde, c'est la fille du jardinier de sa grand-mère. Deux ans d'avance, une vraie surdouée, ils ne se quittent pas.

– Je t'avais prévenue, me dit Fred, c'est une histoire de fous. Jules est complètement parti en sucette. Je suis bien placée pour savoir qu'il est plus jaloux qu'une teigne, mais en six ans de vie commune, à part lever la patte sur ma voiture et bouffer mes godasses, jamais il ne s'en est pris à moi.

– Et qu'est-ce qu'il a fait, après l'hôpital ?

– Il est allé se planquer chez Marjo, on t'a dit. La nuit dernière. À part ça, tu verras, il a l'air plutôt en forme. Je le trouve même rajeuni.

Plus confiante dans le ressenti d'une instructrice cynophile que dans celui d'une affairiste allergique aux poils de chien, je demande à l'adjudante comment elle a perçu Jules quand il est venu se réfugier chez elle.

– Je vais être franche, Alice : ce n'est pas chez moi qu'il est venu se réfugier. C'est chez ma chienne.

– Je confirme, dit Fred. Il nous a à peine dit bonjour.

– Je l'ai entendu aboyer devant la porte, je lui ai ouvert : il a foncé droit dans la cuisine, et il s'est couché dans le panier de Victoire.

– Elle n'était pas là ?

– Non, ils la gardaient à l'école. En sevrage affectif depuis quatre jours, comme toute sa promotion – à part Jules, que s'était attribué d'office Mme Bühler. C'est la dernière étape du stage : plus aucun contact avec leur ancien maître ni avec les éducateurs. Pour favoriser leur attachement au malade à qui ils seront affectés.

La voix de Marjorie s'est lézardée. Fred continue pour elle :

– On vient d'aller la récupérer. Ce matin, c'était la remise des stagiaires aux épileptiques.

– Chacun est reparti avec le sien, reprend l'adjudante en crispant les doigts sur le volant. Les binômes se sont formés plus vite que d'habitude, paraît-il. Seule Victoire n'a pas trouvé preneur.

Réformée. Elle n'a eu d'élan vers personne – c'est ce qu'on m'a dit quand on me l'a rendue. Elle ne s'est intéressée à aucun malade. Comme si elle se méfiait des humains. Pourtant, jusqu'à présent, malgré la perte de son odorat, son instinct de protection était resté intact…

Sous-entendu, mon chien déteint. Mais il n'y a pas de reproche dans sa voix. Tout ce qui compte pour elle, c'est que, durant son stage de reconversion, Victoire a repris goût à la vie. Même si ce n'était qu'entre les pattes de Jules.

Immobile sur le tapis de sol, la jolie braque demeure insensible à mes caresses. Elle somnole, une oreille sur mes baskets. La seule réaction que je suscite chez elle, c'est un grognement hostile lorsque je tente de lui retirer l'os en caoutchouc musical serré entre ses dents. C'est le doudou que j'avais offert à Jules, en remplacement du gode normand qu'on avait laissé en souvenir à la famille du petit Oscar. Le fait que mon chien ait donné son jouet à Victoire se passe de commentaire.

*

L'increvable Maserati grise prend la pluie sur le parking de la gendarmerie. Le coup de boule de Zibal a entraîné l'immobilisation du véhicule de son accompagnatrice, m'explique l'adjudante : défaut de vignette antipollution.

– Pour éviter d'alourdir la condamnation de ton homme, me signale Fred avec une mansuétude crispée, j'ai évité de rappeler à ces tocards qu'il s'agit d'une voiture de collection, bénéficiant d'un statut particulier.

Je la remercie d'un battement de paupières. Au-delà de la législation, je sens ce qu'elle a voulu souligner en faisant un sort aux deux derniers mots. Je sais ce qu'ils racontent. Pas seulement son lien fusionnel avec ce bureau roulant dans lequel elle sillonne l'Europe depuis trois décennies, mais les premiers baisers que nous y avons échangés à Èze-Village, le jour où elle avait remis à Jules, au nom de la fondation Swiss Life dont elle s'occupait à l'époque, le prix du Meilleur guide d'aveugle 2009. Moi non plus, je ne l'ai jamais oublié, le « statut particulier » de ce bolide nauséeux où elle m'avait redonné confiance en mon corps, en la vie, en l'avenir. Comme j'ai aimé cette femme… Avant que son vrai visage ne fausse notre relation, avant qu'elle refuse de voir son déclin dans mon regard et qu'elle fasse semblant de s'effacer de peur que je l'abandonne.

Tandis que Marjorie, tenant Victoire en laisse, va plaider la cause des contrevenants auprès de la brigade d'Oberheim, Fred se tourne vers la banquette arrière. Et elle me prend la main dans un geste bizarre, solennel, distant, plus proche de la chiromancie que de la tendresse.

– Je vais vous laisser, Alice. Je me casse.

J'accuse le coup, lui demande pourquoi.

– J'ai assez joué les chaperons et tenu la chandelle, non ? Je te rappelle que j'ai une vie, depuis que tu m'as larguée. Et franchement, te voir flasher sur Miss Cynophile parce que ton chien se tape sa chienne, je trouve ça moyen.

Feignant de tomber des nues, je tente de le prendre à la blague :

– Hé ! C'est quoi ce plan que tu me fais ?

– C'est un plan retraite. Je dégage, Alice, je rends mon tablier, démerdez-vous sans moi. Mais je te rappelle un léger détail en passant : depuis que tu y vois, tu préfères les mecs – je suis bien placée pour le savoir. Et je ne vais pas te crever les yeux pour retenter ma chance. Quant à Marjo, elle n'est même pas bi : elle est juste en surdose de mecs et elle essaie d'espacer. Alors, ne te monte pas un bateau.

Elle prend une longue inspiration en boutonnant sa parka et, sans me laisser le temps de répondre, enchaîne :

– Un dernier conseil pour la route : si tu tiens encore à Zibal, ce n'est pas le moment de le lâcher dans la nature. La jolie pétasse que je lui ai mise dans les pattes comme directrice financière pour te rendre jalouse, je te signale à toutes fins utiles qu'elle est en train de lui faire un enfant dans le dos.

Elle lève le bras pour que je la laisse poursuivre :

– Dans moins d'un mois, avec la complicité des banques, il se fait avaler par son concurrent Phytogreen pour qui elle travaille en sous-marin et qui, en échange, la nommera directrice générale adjointe. À bon entendeuse… Ne me remercie pas : c'est moi qui ai goupillé tout ça. Et je peux te certifier, en outre, qu'il ne l'a sautée que lorsque tu as rompu avec lui. Uniquement à cause de ça, et sur mon insistance. Il n'a rien à se faire pardonner, c'est clair ? À part ce que ta jalousie a provoqué. Et pourtant, il se sent tellement coupable envers toi, ce crétin, que tu n'as qu'à claquer des doigts pour qu'il rentre à la niche.

J'ai un mouvement de recul, qu'elle réprime en accentuant sa pression. Vrillée sur son siège, les yeux dans mes yeux, elle enfonce ses ongles ras dans mon poignet.

– Si toutefois c'est ce que tu veux. Si, pour une fois, tu arrives à savoir ce que tu veux, Alice. Sans avoir besoin de broyer ceux qui t'aiment pour y voir clair dans ta tête.

Je retire ma main, elle la reprend.

– Je n'ai pas fini, ma puce. J'en ai marre de m'abaisser à faire des conneries, dans l'illusion que tu me reviendras. Tu crois que ça m'a plu, de t'envoyer un texto anonyme pour que tu croies que Zibal niquait Ludivine ? Jamais je n'aurais pensé qu'un jour je tomberais aussi bas. Jamais personne ne t'aimera d'un amour aussi fort que moi et aussi inconditionnel que lui. Alors repêche-le et oublie-moi, OK ? Tu as de quoi me détester, là, maintenant, et je préfère. Ça m'aidera à enfin tirer le trait. Allez, salut.

Elle lâche ma main, ouvre la portière. Tétanisée, je la regarde aller au-devant de Marjorie qui ressort de la gendarmerie, lui reprendre ses clés de voiture avec une tape sur la hanche, démarrer sur les chapeaux de roues et disparaître dans un vrombissement rauque. Le cœur à fond de cale, je sors lentement respirer le nuage de fumée qui se dissipe.

– Tu as dû beaucoup la faire souffrir, dit Marjorie avec une sorte de nostalgie, les doigts serrés sur sa laisse.

Sous le crachin, la mélodie aigrelette de *La Vie en rose* s'échappe de l'os en caoutchouc mordillé par Victoire. Comme je ne desserre pas les dents, sa maîtresse ajoute d'une voix neutre :

– Ton homme t'attend.

*

Je n'ai pas compris ma réaction, lorsque les gendarmes ont sorti Zibal de sa cellule pour me le rendre. Le courant de haine froide qui est monté dans ma gorge, tandis que mon ventre se serrait d'amour. Quand il m'a attirée contre lui, j'ai tenté de réduire le contact de nos corps avec mon sac en bandoulière, mais la force de son étreinte a fait tomber l'obstacle.

– C'est si bon de te retrouver, a-t-il murmuré. Tu as l'air épuisée. C'est le voyage ?

– C'est le voyage, oui.

De quoi je lui en veux ? De ne plus rien avoir à lui reprocher ? Je le détache de moi sous prétexte de m'inquiéter de ses contusions.

– C'est rien, sourit-il, j'ai juste mal cadré mon coup de boule. N'est-ce pas, chef ?

Il prend à témoin le sous-officier à rouflaquettes et coquard au-dessus de l'œil, qui confirme avec un humour contraint. Le genre qui a dû accepter de retirer sa plainte en échange d'un dîner avec Marjorie. Moi qui ai connu la dragouille de rigueur dans les studios de radio, je me demande comment une fille aussi sexy a pu maintenir la distance et l'harmonie, au sein d'une brigade antiterroriste, sans casser l'esprit d'équipe ni vexer trop de mâles. Sans doute Victoire faisait-elle écran... Le spara-drap, aussi. C'est la seule confidence qu'elle m'ait faite, pendant notre bref moment d'intimité lors de la soirée de l'ESCAPE. En allant aux toilettes, je l'avais trouvée en train d'abaisser le bonnet de son soutien-gorge pour coller sur le bout de son sein droit un carré de Tricosteril beige.

– Ils pointent sans raison et les mecs s'imaginent, m'a-t-elle glissé dans le miroir, avec la connivence immédiate qu'avait installée entre nous l'accouple-ment de nos chiens.

Souriant d'un air solidaire, je l'ai regardée détacher du rouleau posé sur la vasque un deuxième morceau de sparadrap, et le disposer en écran protecteur sur le mamelon gauche. J'ai dit que j'aimais bien cette nouvelle ligne dentelle lancée par Aubade.

– Dans les soirées, j'vais pas non plus venir en soutif de combat.

J'ai compati, détournant les yeux de son 90 D. La poitrine avait l'air d'origine, bien que si peu accordée à son corps anguleux, ses fesses maigres et ses joues creuses. Elle m'a tendu le rouleau.

– T'en veux ? Toi aussi, j'ai vu, t'as eu droit aux félicitations de la mairie.

Elle a louché dans mon décolleté, imitant l'acuité faussement discrète du maire d'Oberheim. On s'est marrées. Et, de même qu'il est impoli de refuser un verre, j'ai déboutonné mon chemisier pour sparadraper mes nichons qui, pourtant, sont d'une modestie à toute épreuve. Quatre heures plus tard, quand Zibal m'a déshabillée dans notre chambre, il n'a pas compris pourquoi j'ai rougi si fort en le voyant s'inquiéter de la présence de pansements.

L'incarcéré de la veille signe son procès-verbal, récupère le contenu de ses poches et serre les mains.

Pourquoi est-ce que je reste branchée sur Marjorie, alors que je devrais ne penser qu'à réparer mes torts envers lui ? Peut-être parce que je n'ai plus envie de me sentir coupable. Peut-être parce que j'ai besoin de neuf. Peut-être parce que seule une femme pourrait soigner la blessure que vient de m'infliger mon ex-compagne. L'amie de tant d'années de non-voyance. L'ennemie de quelques mois d'aveuglement.

– Fred et Marjo t'ont raconté ? demande Zibal en m'entraînant hors de la gendarmerie.

– Oui.

– Je n'ai pas reconnu Jules, murmure-t-il. Il n'y a que toi qui puisses le raisonner.

Je fais semblant de le croire. En réalité, c'est moi qui ai créé le déséquilibre de mon chien, le jour où une cornée artificielle m'a fait perdre ma cécité. Oui, j'assume l'expression. Rien de ce que j'ai vécu depuis ma guérison, même mon histoire avec Zibal, n'a pu remplacer ce que j'avais construit sur mon handicap. Mes rapports avec Jules, en premier lieu. Son amour inconditionnel et dominant qui a basculé dans l'incompréhension quand j'ai cessé d'être *son* aveugle. Tous les événements suivants n'ont fait que se greffer sur cette incohérence, cette injustice qui avait détruit ses repères de chien guide. Ni l'homme qu'il m'a rapporté en cadeau pour que je le reprenne à mon service, ni les autres handicapés auprès desquels il a tenté de retrouver sa raison de vivre n'ont su remédier à ma trahison initiale. S'il s'est mis à mordre l'entourage de ses protégés par jalousie ou excès de zèle, quelle sera sa réaction aujourd'hui envers moi qui, une fois encore, l'ai abandonné ?

– Je t'aime, murmure Zibal tandis qu'il m'ouvre la portière arrière du Berlingo. Je n'aime que toi, et aussi fort qu'avant. Je ne comprends pas ce qui nous est arrivé…

– Merci, lui dis-je en refermant la portière pour qu'il aille s'asseoir avec Marjorie à l'avant.

Il contourne le véhicule par l'arrière et s'installe côté gauche, contre le flanc de Victoire qui a investi le milieu de la banquette.

– Fred est partie sans me dire au revoir ? s'étonne-t-il quand Marjorie redémarre.

Nous ne lui répondons pas. Il se rabat sur Victoire, lui demande de ses nouvelles. Même silence.

– Et toi, tes éléphants, s'enquiert-il, ça s'est bien passé ?

Je réponds oui. C'est plus simple : inutile de rajouter une couche de détresse et de rage impuissante à la situation absurde dans laquelle nous ont entraînés mon ex et mon chien. Zibal se réjouit pour moi, plus faux que nature. Je renonce à lui demander des nouvelles de son entreprise, à le mettre en garde contre sa directrice financière – je n'ai pas le cœur à renouer avec cette suspicion qui a suffisamment pollué notre couple. Et qu'est-ce qui me prouve que Fred m'a dit la vérité, cette fois ? J'en ai marre de me cogner dans ces murs invisibles que j'ai laissé monter autour de moi. Je suis à deux doigts de m'identifier à mon chien. Lui, au moins, il va au bout de ses envies de mordre.

Je ferme les yeux, bras croisés, rencognée contre la portière. On dira que c'est le décalage horaire.

Par-dessus le bruit du moteur, les ronflements de Victoire alternent avec les notes anémiées de l'os musical entre ses dents. Zibal reste silencieux tout le temps du trajet. Je le sens perturbé par cette présence canine qui nous sert d'accoudoir, indifférente à notre contact. Ça doit lui paraître un mauvais présage, par rapport à nos retrouvailles avec Jules.

*

Au bout d'une vingtaine de kilomètres, Victoire se réveille en sursaut et se dresse sur la banquette, aux aguets, la truffe en alerte comme si son odorat fonctionnait encore. Elle lâche son os à musique, se met à couiner doucement en fixant le pare-brise.

– On arrive, traduit Marjorie.

– Jules était déjà venu chez vous ? lui demande soudain Zibal.

– Non. Je ne sais pas comment il a trouvé le chemin.

– Il s'est branché sur Victoire, conclut-il.

– Elle était à l'ESCAPE, lui objecte-t-elle.

– Justement. Il n'a pas choisi la piste qui l'aurait ramené à la case fourrière. Il a suivi celle qui conduisait à la maison de sa copine, à son panier, à son bonheur avec vous…

Marjorie le regarde dans le rétro, sceptique. Je précise qu'il fait référence aux travaux du biologiste Rupert Sheldrake, qui a mis en évidence tous les processus mentaux auxquels a recours un chien, en dehors des traces olfactives, quand il veut retrouver son maître ou l'un de ses congénères. Sans commentaire, l'adjudante se gare devant chez elle.

À peine a-t-elle ouvert la porte du pavillon que notre labrador, qu'on entendait gémir et gratter derrière le battant, se précipite dans les pattes de la braque de Weimar. C'est à qui montera le plus haut pour s'enlacer, se mordre l'oreille et se râper les mâchoires. Ils se repoussent, s'aboient dessus, se coursent l'un l'autre tout autour du jardin, se roulent dans le gravier, s'escaladent à tour de rôle et plongent dans le bassin de résine bleue où ils s'accouplent au milieu des poissons que leurs éclaboussements expulsent. Avec discrétion, Marjorie vient leur tourner autour pour ramasser les carpes naufragées qu'elle replonge en douceur dans le jacuzzi sexuel. Dès qu'ils ont fini leur étreinte, ils jaillissent du bassin pour reprendre leur bagarre.

Je regarde Zibal, immobile à mes côtés sur le perron de carreaux gris, reconnaissant dans ses yeux toute la détresse que j'éprouve. On n'existe plus pour notre chien. Sa main se glisse entre mes doigts, et je sens couler sur mes joues les larmes que je retiens depuis la gare. Lentement, il m'ouvre les bras. Il a vu comme je l'ai repoussé, tout à l'heure, à la gendarmerie. Il ne fait rien. Il me laisse venir contre lui, me blottir au creux de son épaule. Ses bras se referment doucement sur mes omoplates, c'est tout.

On reste ainsi quelques instants, puis il tourne la tête. Je décolle mon nez de son torse pour suivre son regard. Les chiens se sont figés, eux aussi. Ils nous jaugent. D'un même mouvement, ils pivotent vers Marjorie. Puis ils se dévisagent, comme s'ils échangeaient leurs perceptions, confrontaient ce que leur dit leur instinct.

– Merde ! glisse soudain Zibal entre ses dents.

Vivement, il attrape le bout de laisse en plastique noir qui dépasse de sa poche et l'y enfouit. Marjorie a suivi son geste des yeux, fronce les sourcils. Soudain, elle court vers l'entrée du jardin refermer le portail, juste à l'instant où les chiens s'élancent pour le franchir. Victoire bondit la première dans la rue, esquivant sa maîtresse que Jules renverse en fonçant la rejoindre.

À plat ventre, Marjorie donne un coup de poing sur le dallage, s'arc-boute pour se relever, gémit, retombe. On se précipite vers elle. Les chiens ont disparu au coin du lotissement.

Trois côtes fêlées. Alice a conduit Marjorie aux urgences tandis que je ratissais le secteur, interrogeant en vain les passants. Perplexes ou bienveillants, ils me regardaient repartir à fond de train en brandissant telle une flamme olympique mon os musical, que je pressais désespérément pour faire revenir les fugueurs. Comme si ce repère sonore lié au jeu allait effacer le souvenir de la laisse de fourrière, que j'avais balancée dans la première poubelle venue.

Sur les arbres et chez les commerçants, je collais des photocopies de la tête de Victoire. À sa description minutieuse, j'avais ajouté la mention : « accompagnée d'un labrador sable » – sans préciser son nom, Jules étant sous le coup d'un mandat d'arrêt. Aucun témoin, aucun indice, aucune piste. Les chiens s'étaient volatilisés.

En milieu d'après-midi, mon stock d'affichettes épuisé, je suis revenu bredouille avec six parts de quiche lorraine et trois tartes aux pommes – le boulanger-pâtissier du centre commercial, militant de la SPA, m'avait promis une diffusion massive du signalement sur chien-perdu.org.

Marjorie venait d'allumer le four lorsque la gendarmerie d'Oberheim l'a appelée. Aussitôt, déboulant dans le salon où nous tentions de faire du feu, elle a branché le haut-parleur. La consternation nous a figés au milieu des cagettes brisées et des journaux en boule. À 15 h 30, durant la promenade de Mme Bühler, nos chiens s'étaient introduits dans sa propriété, bousculant son infirmière, poussant son fauteuil roulant vers l'auvent du garage avec une telle violence qu'il s'était renversé. Puis ils avaient dévasté la voiturette sans permis de son petit-fils, arrachant la capote, éventrant les sièges, avant de s'enfuir par le trou de la haie, tandis que l'infirmière relevait la vieille dame miraculeusement indemne.

– Quand tu dis « dévasté », a lancé Marjorie en interrompant le rapport téléphonique, tu veux dire « vandalisé »… ou ils cherchaient quelque chose ?

– Tu es seule ? a questionné, en guise de réponse, le maréchal des logis-chef.

Alarmée par son ton, l'adjudante a coupé le haut-parleur et changé de pièce. Alice s'est laissée tomber sur un pouf au coin de la cheminée, décomposée. Deux chiens d'élite, deux chiens d'assistance dont la formation avait coûté plus de vingt mille euros pièce, étaient retournés à l'état sauvage, s'entraînant l'un l'autre dans la divagation, le harcèlement, l'attaque des personnes et des biens qu'ils étaient censés protéger. Je m'épuisais à lui répéter en vain qu'elle n'était pour rien dans le dérèglement psychologique de Jules, qui pouvait être causé par un simple parasite de l'oreille interne – le premier diagnostic du Dr Vong. Quant à Victoire, son propre traumatisme et l'ascendant qu'exerçait sur elle le labrador en faisaient la complice involontaire de ses troubles de la personnalité.

– Mais arrête de le défendre ! m'a crié Alice. Regarde les choses en face : il a *vraiment* pété un câble, il est *vraiment* devenu dangereux !

– Attends ! lui a lancé Marjorie sur un ton fébrile en revenant au salon.

On s'est retournés vers elle. Elle a posé son portable, a marqué un temps pour retrouver son souffle, deux doigts glissés sous le bandage comprimant ses côtes. Elle s'est assise sur un tabouret, a repris lentement :

– Tu sais ce que mes collègues viennent de trouver, en évaluant les dommages causés à la voiturette ? Cinquante kilos de TATP.

– Qu'est-ce que c'est ?

– Peroxyde d'acétone. Un explosif artisanal qu'utilisent les djihadistes. Il y avait de quoi faire sauter tout un bâtiment. Ce qui était le but, en fait.

Le silence est retombé sur le crépitement des cagettes. Dans un mélange de stupeur et d'espoir, je me suis mis à la cribler de questions. Alice en a posé une seule :

– Et les chiens ?

– On lance un avis de recherche en national. Mais cette fois, je vous rassure : ce n'est plus une alerte danger, c'est juste un appel à témoins pour complément d'enquête, sous contrôle de la cellule antiterroriste.

Dans le regard que j'ai échangé avec Alice, j'ai senti soudain qu'un autre avenir était possible entre nous. Comme si le malentendu qui se dissipait autour de la démence supposée de Jules allait nous remettre, nous aussi, sur la voie de la raison. Dans un élan d'euphorie, j'ai failli lui avouer la relation que j'avais entamée avec Ludivine après son départ pour la Thaïlande, et l'appeler devant elle pour y mettre fin. Une seule chose m'en a dissuadé : l'attitude de Marjorie. Des larmes ruisselaient dans son sourire. Elle craquait devant nous, sans retenue, sans gêne.

– Il l'a remmenée en mission... Jules... C'est ça qu'il avait en tête !

On s'est approchés d'elle, tassée sur son tabouret de bar, le souffle court. Avec un air compréhensif, on a posé nos mains sur ses omoplates. Elle a insisté, véhémente :

– Vous ne vous rendez pas compte : le TATP, y a que les chiens qui peuvent le détecter ! Il lui a fait réussir une alerte attentat ! Alors qu'elle était foutue, réformée, jetée par tout le monde... Il lui a rendu son honneur ! Il me l'a ressuscitée !

Dépassés par l'ampleur de sa réaction, on s'est associés à ce bonheur qui lui tombait dessus après tant d'épreuves. Et nos mains qui apaisaient le tremblement de son dos se sont rejointes sur son pull.

*

Les heures suivantes nous ont ballottés de la stupeur à l'évidence, au gré des rebondissements et des fausses pistes. Brisant allègrement le secret défense, Marjorie nous informait en temps réel de la progression de l'enquête. Kévin Bühler et sa copine, Samia Sadki, avaient été appréhendés, l'un dans sa chambre d'hôpital et l'autre à la sortie du lycée. Dans la voiturette-bélier, outre la charge artisanale au détonateur réglé pour une explosion par impact, les gendarmes avaient découvert un exemplaire du Coran, où l'inscription au feutre noir « Pour Amir ! » barrait la première page.

Les deux ados étaient passés aux aveux dès le début de leur interrogatoire. Recruté par vidéo sur son ordinateur l'été dernier, le frère de Samia était parti faire la guerre en Irak. Le drame absolu pour ses parents, français depuis deux générations, mais surtout pour sa jumelle à qui Amir s'était confié juste avant son départ, et qui avait cru à une simple provoc liée à un abus de pétards.

Il y a trois semaines, à Bagdad, Daesh avait envoyé l'ado se faire sauter dans une église. Le monde s'était écroulé pour Samia. Les félicitations qu'elle avait reçues dans la cour du lycée, en tant que sœur du martyr, lui avaient fait mesurer l'ampleur du réseau salafiste autour d'Oberheim. C'est en découvrant les cachettes d'explosifs aménagées par son frère dans les caravanes de Mme Bühler que son projet était né. Kévin, qui la draguait en vain depuis des mois, avait compris la situation. Pour qu'elle s'intéresse enfin à lui, il était devenu le complice de sa vengeance. Elle avait fourni les explosifs et lui le véhicule, cette ridicule voiturette de vieux que sa grand-mère, terrorisée par les deux-roues, lui avait achetée pour aller au lycée. La seule fois où il l'avait utilisée au lieu de prendre le bus, tous ses copains en scoot s'étaient foutus de lui. Son but : aller faire sauter les djihadistes soi-disant repentis du Centre de déradicalisation qui leur servait de base de repli : le château d'Oberheim, que Mme Bühler avait mis à la disposition des services sociaux. La « Daeshetterie », comme il disait.

Le gamin s'est effondré devant les gendarmes, leur avouant que, sans les morsures du labrador, il serait allé jusqu'au bout, la nuit de l'anniversaire d'Amir – sauf qu'il se serait éjecté de la voiturette juste avant qu'elle ne percute le château, afin de profiter de son héroïsme dans les bras de Samia. « On les aurait déradicalisés pour de bon, ces porcs », a conclu la jeune fille, qui n'éprouvait pour remords que le regret de leur échec. Quand les gendarmes lui ont opposé que ça ne lui aurait pas rendu son frère, elle a répondu que c'en aurait sauvé d'autres. Kévin, lui, malgré l'horreur que lui inspire à présent le carnage qu'il a failli commettre à la Daeshetterie, justifie son intention en disant que, pour lutter contre le terrorisme, on ne peut pas toujours faire du social.

Atterrée par la situation, Antoinette Bühler, qui avait investi tant d'énergie et de moyens dans l'espoir de réhumaniser les barbares, a soutenu son petit-fils et pris les choses en main. Ses relations politiques se chargeront d'étouffer l'affaire. Et, pour assurer la sécurité des deux ados, elle vient de les faire inscrire en secret dans le pensionnat le plus fermé de Lausanne. Dès leur départ, la cellule antiterroriste procédera aux arrestations rendues possibles par les révélations de Samia.

*

Une question reste en suspens : si Jules a mordu les mains de Kévin, était-ce pour le rendre inopérant, l'empêcher de commettre un attentat pour les beaux yeux de sa copine ? Ça sous-entend que le labrador aurait *senti* ce danger, flairé le projet des gamins sous une forme ou une autre, et que l'attaque préventive était la seule décision *efficace* que lui avaient suggérée les mécanismes de son dressage.

À moins de supposer que la fréquentation de Victoire ait créé entre eux une empathie dans les deux sens... A-t-il détecté l'odeur d'explosif sur les doigts du garçon, comme la chienne savait le faire mais n'en avait plus la faculté physique ? Lui a-t-elle transmis ses capacités et son expérience par « images mentales », comme dit le Dr Vong, en échange du signal annonciateur des crises d'épilepsie que Jules lui avait appris à capter ? Alice va jusqu'à penser que, si l'on admet cet échange télépathique entre les deux chiens, la violence avec laquelle Jules a réagi à l'odeur d'explosif est peut-être liée aux souvenirs de Victoire. Une manière pour lui de la protéger en neutralisant le genre de kamikaze qui avait failli la tuer.

Mais tout cela ne change rien au problème que nous posent nos chiens. Serrés tous les trois devant la cheminée en attente de nouvelles, on continue de confronter hypothèses et dilemmes. Quand on aura retrouvé Jules et Victoire, comment les dissuader de repartir ? Comment leur prouver qu'ils n'auront plus rien à craindre des humains ? Comment les persuader que, dorénavant, ils ne seront plus châtiés pour avoir trop bien réussi ce qu'on leur a appris à faire ?

Chacun sa méthode : Zibal a collé des photos sur les arbres, Marjorie a demandé à son unité de gendarmerie cynophile de localiser la puce GPS implantée dans la jugulaire de Victoire, et moi, assise entre eux devant le feu de cagettes, à la lueur tressautante de la télé muette, je dessine mon chien. C'est la première fois que je reprends mes fusains, depuis que j'ai recouvré la vue. Mais là, je ferme les yeux. Rétablir le lien, la connexion de nos esprits. Lui parler à distance, lui envoyer des images d'amour, de compréhension, de sécurité... Restaurer la confiance.

La confiance... Je me sens si mal à l'aise entre cette femme qui me touche et cet homme qui me manque. J'ai cru que j'avais réussi à le désaimer, durant mon séjour en Thaïlande. À le mettre au pluriel pour le dévitaliser – à me persuader que les mecs, c'était fini pour moi. Mais je n'y peux rien. Qu'il m'ait trompée ou non, je tiens toujours autant à lui. Et pourtant, je ne veux pas revenir en arrière.

– Allez, on va dormir, décide Marjorie en se levant. Mes équipes du CNICG sont toutes en Vigipirate sur les marchés de Noël, je n'aurai pas de branchement satellite avant demain. Faut respecter les urgences…

Zibal croise mon regard. D'emblée, pour s'éviter une éventuelle déconvenue ou marquer la distance que j'impose, il précise qu'il va rester devant la télé. Sans autre commentaire, Marjorie lui montre comment fonctionne le canapé convertible et lui donne une couette. Il me fait la bise, lui dit bonsoir. Je la suis dans le couloir, aussi incertaine de mes sentiments que des siens.

– Ça ne t'ennuie pas de dormir dans les draps de Fred, bâille-t-elle en ouvrant la porte en face de la cuisine.

Ce n'est pas une question et je m'abstiens de répondre. Cartons Ikea, VTT, espaliers et rameur : l'ancienne chambre de sa fille lui sert de débarras et de salle de sport. Ambiance thrash metal, posters d'Evildead et de Black Sabbath, unes de *Charlie Hebdo* vieilles de trois ans… Tout sent la provoc ado à deux balles et tout est resté en l'état, dans l'éventualité d'un retour.

– Jade a choisi son père, soupire-t-elle sur un ton de constat à l'amiable. Ils sont partis vivre en food-truck réversible : pizza l'été, raclette l'hiver.

En ouvrant le lit, je découvre un sparadrap. Marjorie soutient mon regard avec un mouvement d'épaule, un petit signe de dénégation et une moue résignée. Je lui souris, dépose un baiser sur sa joue. Et je lui rends son carré de Tricosteril.

*

J'ai dormi par intermittence dans les relents d'*Habit rouge*, le parfum de Fred qui me ramenait au temps de mes nuits noires, entre la rumeur des chaînes info derrière la cloison et les sons étouffés du jeu vidéo dans la chambre de l'étage. Au fil de mes cauchemars, Jules se faisait écraser par une voiture de police, Zibal et Marjorie s'envoyaient en l'air devant Fred transformée en momie de spara-drap, ou bien je tenais en laisse un éléphant guide d'aveugle. Le reste du temps, je fixais la poignée de porte en espérant qu'elle s'abaisse, sans vraiment savoir quelle main j'avais envie d'apercevoir dans la pénombre bleuâtre du radio-réveil.

– On a un signal ! s'écrie Marjorie en surgissant à 11 heures du matin, brandissant l'écran de son iPhone. Au nord-est d'Épinal, N 57, à hauteur de Jeuxey. Prenez le Berlingo, on reste en lien GPS.

Après m'être débrouillée depuis la veille pour ne jamais rester en tête à tête avec Zibal, je me suis retrouvée sans crier gare à ses côtés, sillonnant les routes de Lorraine. Notre premier moment d'intimité depuis mon retour, dans cette camionnette tapissée de feuilles mortes qui sent le chien et les girolles. Une intimité où s'invite sans cesse la voix de Marjorie qui, sur haut-parleur, ajuste notre destination en fonction de la localisation satellite de Victoire.

– D 420, Jocourt. Ils se déplacent à 45 km/h, ils ont grimpé dans un camion-benne ou ils ont fait du stop. Prenez l'A 36 en direction de Vesoul.

La tension s'est dissipée sous le radioguidage qui nous détourne de nos émotions. Pas longtemps. La main de Zibal quitte le levier de vitesse pour se poser sur mon genou.

– On va tout changer, Alice. Je vends mes parts à mon associé, il est d'accord, on se réinstalle en

France ou ailleurs, comme tu préfères. Même en Thaïlande, si tu veux. Jusqu'à maintenant, c'est mon boulot qui a décidé de notre vie, maintenant ça sera ta peinture.

Mes lèvres se desserrent difficilement sous la pression de l'émotion. Comment ce taiseux notoire fait-il pour toujours trouver, du premier coup, les mots qui font mal, les mots qui font mouche ?

– Quel rapport avec ma peinture ?

– Je t'ai regardée dessiner Jules, hier soir. Reprendre la main sur le destin, exprimer tout ce que tu perçois, tout ce qui t'échappe... Transformer la douleur, la détresse en beauté... C'est toi, ça, Alice. C'est la femme que j'aime, la femme avec qui je veux vivre.

J'avale ma salive et je décroche.

– Oui, Marjorie ?

– Ils sont dans Vesoul, rue des Cordes, ils ont dû abandonner le véhicule, vitesse de progression normale, 5 km/h.

– Merci, dis-je en raccrochant.

– C'est cette concentration aussi que tu avais dans l'amour, avant que tu me fasses éteindre la lumière pour ne plus me voir fermer les yeux – c'est ça ? En te racontant que, dans ma tête, je baisais avec une autre.

Mes protestations redescendent au fond de ma gorge. À quoi bon le détromper ou lui donner raison ? Même si son interprétation est fausse, il est tellement au cœur de la vérité.

On se retrouve coincés dans les bouchons du centre-ville de Vesoul, tandis que la cible s'en éloigne. Marjorie nous envoie dans une direction que les sens interdits et les travaux nous empêchent d'atteindre. Elle nous met en attente, nous reprend cinq minutes plus tard, pendant qu'on tente une marche arrière au milieu des klaxons pour s'engager dans une artère à peu près fluide. À nouveau, dit-elle, les chiens se déplacent à plus de 50 à l'heure.

– Mais à quoi ils jouent ? s'énerve Zibal.

– Lieu-dit Les Trois-Croix, Chabrenolle. Ça ne correspond pas à une route, ils ont dû sauter dans un train. Direction sud-est.

On fait demi-tour, replongeant dans les bouchons.

– Marjorie, tu ne pourrais pas demander à tes potes du CNICG de les choper directement avec une patrouille ?

– Victoire est rayée des cadres, Alice ; c'est déjà

hypersympa qu'ils me la géolocalisent. En Vigilance 3, ils ont vraiment autre chose à faire que du bénévolat ! Je vous rappelle, j'ai le facteur qui sonne.

Zibal, contre l'avis du GPS de son portable, met le cap sur une bretelle d'autoroute accessible. On se retrouve à rouler vers le nord, mais on bifurquera dès que possible.

Au bout de quelques kilomètres, il me fait doucement remarquer :

– Tu ne m'as pas répondu, Alice.

– D'abord on récupère les chiens, OK ?

– On va les récupérer, oui, et après y en aura plus que pour eux, et moi j'ai douze mille textos de Ludivine depuis une heure : augmentation de capital et compagnie... Si on ne s'occupe pas de nous tout de suite, Alice, on aura toujours d'autres urgences à gérer...

– Vire-la.

– C'est fait.

– Pas seulement de ton pieu.

– Je n'ai couché avec elle qu'après ton départ, et l'incident est clos.

– Vire-la tout court : Fred m'a dit qu'elle roulait pour Phytogreen.

– Je sais.

J'en reste sans voix.

– Une nuit en prison, ça aide à réfléchir. J'ai mis bout à bout des petits détails, des montages financiers bizarres, des réactions de Fred… Elle t'a dit autre chose ?

J'esquive :

– Tu sais et tu laisses faire ?

Il me répond que c'est son associé Illan qui gère.

– Qui gère quoi ?

– Ludivine. Elle ne sait pas qu'on sait. Il la laisse monter ses petits transferts d'actions au profit de ses copains de Phytogreen, et pendant ce temps il lance une OPA contre eux. Dès qu'il les a absorbés, il vire Ludivine. Donc, tout roule, mais ce n'est plus moi qui suis aux manettes. J'en ai marre de ces histoires, Alice. Ce n'était pas ça, mes rêves. Réponds à ma question. La seule qui m'importe, celle de tout à l'heure. Tu veux encore de moi comme compagnon de route ? De *ta* route ? Tu nous laisses une chance ?

– Confirmation, Alice : c'est un train de marchandises Vesoul-Belfort. Il sera en gare d'Illsbourg dans une demi-heure, vous pouvez y être ?

Soulagée par la diversion, j'introduis les données dans le GPS de Zibal.

– Waze me donne cinquante minutes.

– Je te rappelle.

Je repose les portables sur ma cuisse. Zibal attend sa réponse du coin de l'œil, sans me relancer. Je lui réplique :

– Bien sûr que je nous laisse une chance. Mais là, on reste concentrés sur les chiens, OK ?

– Ça te gêne que, moi, je te donne aussi mes priorités ?

– Ce qui me gêne, c'est que j'ai l'impression que tu me prépares au pire.

– Quel « pire » ?

– L'après-Jules.

Son silence me noue la gorge. Je m'en veux d'avoir eu cette réaction, mais je sais qu'il la comprend. Jules a déjà neuf ans. Si on le reprend avec nous, après l'aventure qu'il vient de vivre, quelles perspectives avons-nous à lui offrir ? Notre affection, la retraite et la fin de vie…

Les doigts de Zibal se reposent sur mon genou, comme pour refermer la parenthèse. Je les couvre avec ma paume.

– Pardon.

On a prononcé le mot en même temps. Mon portable vibre sur mon jean. J'hésite, puis je dégage ma main pour décrocher.

– Quatre minutes en gare, le temps d'une accroche de wagon-citerne, ensuite c'est direct jusqu'à Belfort. Mais si je fais prolonger l'arrêt en demandant une fouille à la brigade locale, les chiens vont se barrer sur le ballast. Accélérez : à 160 de moyenne jusqu'à la sortie 45, ça peut le faire. Je m'occupe des radars.

– C'est pratique, une gendarme, sourit Zibal en abandonnant mon genou pour libérer la voie de gauche à coups d'appels de phares.

Je ne réponds pas. Un retour d'angoisse me fait imaginer la fuite des chiens entre les rails, les sifflets des cheminots, le souffle d'un TGV qui les fauche...

– Ça va, Alice ?

– Ça va.

Je ferme les paupières, j'efface la scène et je projette, à la place, leur cavale en pleine forêt. Les chasseurs, les sangliers, la nuit tombante... Et je prie, de toutes mes forces. Je visualise leur halte au bord d'un ruisseau, leur repos, leur attente, leurs aboiements frénétiques dès que Jules sent notre approche. Et leur course éperdue pour nous rejoindre… Pourquoi est-ce que je n'arrive pas y croire ? Pourquoi cette scène, à la différence de ses variantes tragiques, ne *tient-elle* pas ?

Je rouvre les yeux. Comme un grigri adapté à ma prière, j'unis leurs doudous entre mes doigts, pressant l'os en caoutchouc contre la vieille peluche que m'a confiée Marjorie : un Marsupilami sans queue, tellement râpé, mordillé et délavé par la salive que les taches noires ont quasiment disparu du poil jaune. C'est bien plus que le jouet de Victoire. C'est la clé de sa vocation, de son dressage et de ses six ans de carrière. Marjorie m'a expliqué que tous les composants d'explosifs possibles imprègnent la garniture du Marsupilami, afin que le chien détecteur mémorise les odeurs de chaque molécule. Ensuite, quand son maître lui cache son jouet, il va s'employer à en retrouver la trace olfactive dans un périmètre défini – stade, aéroport, école, salle de spectacle, appartement, voie publique, moyen de transport… En termes de motivation pour l'animal, la détection d'une ceinture explosive est fondée non pas sur la chasse à l'homme, mais sur le jeu. C'est pourquoi aucun kamikaze ne peut échapper à un chien qui traque son doudou.

Ça me fait du bien de me concentrer sur cette Victoire qui m'a bouleversée à travers les mots de sa maîtresse. Depuis l'explosion qui l'avait privée de son flair, elle continuait de câliner son jouet désormais inodore, comme le font certaines femelles avec leur nouveau-né qui a cessé de vivre. Et puis elle l'a délaissé, lorsque Jules lui a fait cadeau de son os musical. Mais Marjorie m'a assuré que le Marsupilami serait le seul moyen de nous faire obéir des deux fugueurs. Même si notre chien se méfie de nous, après ce que les humains lui ont fait subir, sa protégée répondra au signal d'alerte visuel, au rappel de son devoir militaire, et Jules s'y conformera par empathie.

On verra bien.

*

Malgré sa moyenne sur l'autoroute, sa conduite de rallye dans les lacets de montagne et ses dépassements sans visibilité, Zibal nous fait arriver à la gare d'Illsbourg après le départ du train de marchandises. On s'apprête à redémarrer quand la voix de Marjorie nous stoppe :

— Ils ne sont plus dedans. J'ai un signal immobile

à cinq heures au nord-est en partant du château d'eau, vous le situez ?

On traverse le ballast et on s'enfonce dans la forêt vosgienne. Marjorie continue de nous indiquer la direction, mais le sous-bois s'épaissit, les sentiers ne sont plus praticables et la réception est de plus en plus mauvaise.

– Le signal est reparti en direction du sud. Il y a une départementale qui traverse la forêt… Allô ? Vous m'entendez ?

C'est la dernière phrase qu'on a captée. À force de chercher du réseau, téléphones au-dessus de la tête, on s'est perdus.

*

À la tombée du jour, on a cessé de tourner en rond. Zibal n'avait plus de batterie et la mienne plafonnait à vingt pour cent, toujours sans réseau. L'application lampe de poche nous a permis de ramasser du bois mort et d'allumer du feu. Mais, du coup, je suis tombée à cinq pour cent. Comme mon écran affichait toujours *Appel d'urgence uniq.*, j'ai tenté les pompiers. Le smartphone s'est coupé.

La nuit était sans lune et mon briquet en fin de

gaz constituait notre seule source de lumière, à présent que le feu s'était éteint. Les premiers flocons de neige ont fondu sur les cendres. J'ai dit à Zibal que si jamais on mourait de froid, au moins on se serait retrouvés. Il n'a retenu que la bonne nouvelle. Il nous a construit un igloo de toile en unissant la fermeture éclair de son blouson à celle de ma saharienne, et on s'est enlacés sous le cône de chaleur illusoire.

Au bout de quelques minutes d'immersion dans son odeur, je n'ai pu m'empêcher de lui demander quand Marjorie lui avait donné son numéro.

– Deux jours après ton départ. J'avais pris la route sur un coup de cafard, j'avais foncé jusqu'à Nancy pour passer un moment avec Jules... Je l'ai trouvée derrière les grilles de l'école, à regarder les chiens s'entraîner, de loin. Une simulation noyade : ils devaient sortir un épileptique de l'étang... Elle était dans le même état que moi. On est allés prendre un verre, je lui ai parlé de toi, on a échangé nos téléphones... Et je suis reparti. Voilà. Pas eu le courage d'aller déranger Jules.

– Et... elle te plaît ?

– Moins qu'à toi.

– Je ne sais plus où j'en suis, tu sais. Libido zéro,

et ça ne revient pas. Je voudrais tellement avoir envie, quand je te regarde... Avec elle, j'ai cru que ça pourrait le faire, parce qu'on est pareilles. Plus aucun désir depuis qu'on lui a cassé Victoire, elle m'a dit. Même si, avec moi, elle a senti un petit frémissement à la soirée de l'ESCAPE.

— Oui, j'ai reconnu le sparadrap. Le rouleau sur son lavabo, ce matin...

— C'était juste que nos chiens nous avaient montré le chemin... Je te choque ?

— Non. On va tous finir zoophiles...

— T'es con.

— Moi aussi, je t'aime.

Je lui ai dérobé ma bouche. J'ai dégluti pour changer de ton.

— Tu es sûr ? Tu es sûr que tu tiens toujours à moi ?

Il s'est détaché de mon corps, autant que le permettait notre igloo textile. On n'y voyait rien, mais il prenait du recul pour me regarder.

— Je ne veux plus jamais te perdre, Alice. Même le jour, très, très lointain, où il n'y aura plus Jules entre nous. Et même si on n'arrive pas à faire d'enfant.

— On adoptera.

– Un chien ou un môme ?

– Les deux. Ils se garderont l'un l'autre, quand on voudra être seuls.

– Chiche ?

On a imaginé des lendemains neufs en se caressant jusqu'à ce que nos doigts soient complètement gourds. Alors on a basculé notre tente d'Esquimaux dans l'herbe raidie par le gel, et on a fini par s'endormir bouche à bouche.

Un bruit de moteur m'a réveillé en sursaut, au lever du soleil. Sans s'en douter, on avait établi notre camp de fortune à moins de cinquante mètres de la route forestière. J'ai couru signaler notre présence, arrêter le camion des Ponts et Chaussées, puis je suis revenu aider Alice qui arrivait à peine à marcher.

Le cantonnier nous a déposés dans le premier café ouvert, où on s'est dégelés au cappuccino tout en rechargeant nos batteries de téléphone. Vingt messages de Marjorie nous sont parvenus en rafale, périmés et contradictoires, s'annulant l'un l'autre pour finir sur un constat désespéré : la puce de sa chienne avait cessé d'émettre. Elle ne voyait que deux explications possibles. Soit une décharge électrique, du style clôture antisangliers, l'avait désactivée, soit Victoire s'était fait écraser. L'avis de recherche demeurait en vigueur, mais le ton de Marjorie nous laissait peu d'espoir.

Alice s'en voulait. Elle avait toujours refusé qu'on implante à Jules une puce susceptible de migrer depuis la jugulaire jusqu'à une articulation – ça s'était vu chez un certain nombre de chiens, que cet accessoire de sécurité avait rendus infirmes. Pour atténuer sa culpabilité, je lui ai soumis une quatrième hypothèse : des voleurs avaient pu s'emparer de nos fugueurs. La valeur de revente des chiens d'assistance, signalés par leur médaille, la plaque de leur collier, leur harnais ou leur cape bleue, avait été soulignée par les médias dans plusieurs reportages récents. Dès lors, pour mener à bien leurs transactions, ces voleurs se seraient empressés d'extraire la puce de Victoire – comme ils l'auraient fait, le cas échéant, pour celle de Jules.

Mon explication destinée à la rassurer était si plausible à ses yeux qu'elle avait achevé de la paniquer. Alors je me suis efforcé de la démentir en lui rappelant que, si Jules était en règle générale un modèle de sociabilité, Victoire avait reçu une formation militaire. Rompue à toutes les techniques de combat, elle était apte à neutraliser n'importe quel agresseur potentiel pour défendre son copain.

– Sauf si l'agresseur les flingue, a riposté Alice.

À court d'objections, je nous ai pris une chambre dans le petit hôtel au-dessus du café. Bain chaud, lit frais, rhume enfoui sous la couette. Je répétais que tout n'était pas perdu : même si Victoire n'était plus traçable pour telle ou telle raison, il restait le collier de Jules, avec l'adresse de l'ESCAPE.

– Et puis je suis bien placé pour le savoir : quand il voudra nous retrouver, il nous retrouvera.

Elle s'est dressée dans le lit, soudain. Elle a dit avec foi, en attrapant son paquet de cigarettes :

– Tu as raison ! S'il est vivant, je sais où il emmène Victoire.

– À Trouville ?

Elle a fait non de la tête.

– Son copain Oscar est guéri, comme moi. Il ne se sent plus en sécurité avec les gens guéris. En tant que dominant, il veut offrir un refuge à Victoire. Un refuge et du boulot. Il lui faut des bases solides, une structure fiable, du handicap renouvelable…

– Tu penses à quoi ?

Elle m'a regardé avec une sorte d'espoir nostalgique, et elle a murmuré :

– À un retour aux sources.

Ils cheminent surtout la nuit. Pour Jules, c'est plus simple de se brancher sur ses congénères une fois qu'ils dorment. Il les capte mieux quand ils sont immobiles et qu'ils rêvent ; ça l'aide à se repérer. Victoire le suit ; c'est lui qui sent, c'est lui qui sait. C'est la première fois qu'elle accepte un dominant. Sa seule initiative ne lui a pas réussi, lorsqu'elle a décidé de courser ce furet qui venait de passer sous une clôture. Tout son corps a vibré de l'intérieur – et puis le noir complet, le silence... Comme le jour où l'inconnu qui avait l'odeur de son jouet avait explosé en lui échappant. La langue de Jules, ses dents, ses coups de tête dans le poitrail l'ont remise sur pattes.

Le jour, ils roulent. Pour aller plus vite tout en se reposant, Jules la fait grimper dans des wagons, des camions bâchés, des remorques. Après, il faut souvent corriger la trajectoire, revenir dans l'axe, trouver des raccourcis. Des garde-manger, aussi. Elle qui n'a jamais fugué découvre des trésors dans les poubelles où il l'invite, dans les jets d'eau qui nettoient le sol à la fin des marchés où il l'emmène faire bombance. Il l'oblige parfois à rester planquée des heures contre lui, sous une voiture en stationnement, à cause d'un uniforme croisé sur leur route. Les uniformes, pour lui, maintenant, c'est le danger, la captivité, la mort. Pour elle, c'est tout le contraire : les uniformes sont des amis, mais elle lui obéit. Elle aime qu'il la protège. Elle aime se faire des peurs. Elle pense à sa maîtresse, mais comme Jules pense à ses maîtres. Il sait qu'ils vont les retrouver, les retrouver ailleurs. Là où il est né, là où tout va bien. Là où les humains les comprennent et leur obéissent.

Jules emmène Victoire sur son territoire.

Et puis soudain, au détour d'un chemin, voilà qu'une autre image arrive dans sa tête. Un autre appel. Il est seul à le capter. Victoire ne ressent rien. Il change de direction, elle garde la même. Elle s'arrête au bout d'un moment, aboie pour le remettre sur la piste. La piste qu'il lui a fait suivre. Il revient vers elle, la pousse dans l'autre sens. Elle refuse. Il repart de son côté. Et puis il refait demi-tour. Il s'immobilise. Il l'appelle. Elle l'attend. Elle ne peut plus se repérer toute seule s'il lâche la piste. Du coup, elle se rebranche sur sa maîtresse. Elle cherche d'autres images que celles qui viennent de Jules.

Il ne sait plus quoi faire. Elle non plus. Ils se regardent. Ils se demandent qui choisir.

J'aime que Zibal me surprenne, qu'il arrive à me redonner confiance au moment où mon intuition s'est résorbée sous mes doutes. J'ai beau lui répéter que non, finalement, nous devrions d'abord retourner en Lorraine, il refuse de lâcher la piste. Il me répond que Marjorie n'a pas besoin de sa voiture : avec ses côtes fêlées, il vaut mieux qu'elle s'abstienne de conduire. Elle partage son avis, du reste. Et l'odeur de Victoire qui imprègne le Berlingo ne peut que remettre Jules dans de bonnes dispositions à notre égard, m'assure-t-il. Je crois surtout qu'il veut me maintenir dans l'élan de cette course poursuite, de peur que je m'éloigne à nouveau de lui si la pression retombe. Je ne suis pas dupe, mais si reconnaissante des efforts qu'il déploie pour me reséduire. Et je m'incline devant son argument final :

– Si tu as vu juste, Alice, il faut qu'on arrive les premiers.

Plus encore que le plaisir auquel, dans cette petite chambre mansardée au-dessus du café, il m'a menée pour la première fois depuis des mois, je crois que c'est cette phrase qui m'a fait retomber amoureuse de lui.

*

Traversant les Vosges, nous avons gagné la Franche-Comté, puis la route des Alpes. Le climat se modifiait entre nous, au rythme de la végétation. Les premiers chênes verts et les premiers pins parasols avaient changé la donne. On regardait toujours machinalement à l'intérieur des voitures qu'on doublait, mais on s'était persuadés qu'on avait désormais une longueur d'avance sur nos chiens, et on savait qu'on ne reviendrait plus en arrière. Ça ne diminuait pas mon trac ; ça lui donnait du sens et de la puissance de feu. Comme lors de mon retour au lycée Masséna, deux mois avant le bac, sans mes yeux, quand j'avais tenu à reprendre les répétitions au club théâtre, à jouer le rôle d'Antigone en faisant virer ma remplaçante, qui parlait si faux qu'elle foutait la pièce en l'air. La première fois où j'avais réussi à dominer ma nuit intérieure, c'était sous les projecteurs. Le personnage de la rebelle grecque, qui vivait déjà en moi avant le viol, se nourrissait de mon drame et le public en faisait autant. L'ovation finale m'avait laissée d'autant plus seule et paumée dans les coulisses, après. Mais c'est cette émotion-là qui remonte en moi, tandis qu'on roule vers Nice. Quels que soient les épreuves, les peurs, les doutes, j'ai à nouveau rendez-vous avec moi-même sous le regard des autres.

Je ne suis pas encore retournée à l'école d'Èze, où j'avais fait mon apprentissage avec Jules. Tous ces éducateurs, ces formateurs, ces bénévoles qui m'ont accompagnée dans mes années noires, vais-je les reconnaître aujourd'hui ? Et comment vont-ils me trouver ? J'ai tant perdu, depuis que je vois. Je n'ai gagné que l'amour, l'amour d'un homme que j'ai failli gâcher comme le reste.

Malgré l'opposition du GPS, j'ai tenu à ce qu'on arrive par la montagne. J'ai fait prendre à Zibal la sortie d'autoroute desservant Monaco, pour qu'il plonge dans l'à-pic fabuleux qui, de l'Italie à l'Estérel, domine la mer jusqu'à la Corse. Le fait qu'une école de chiens d'aveugles bénéficie de la plus belle vue du monde n'est pas, je pense, sans incidence sur les émotions que partagent les instructeurs, les élèves chiots et leurs futurs maîtres.

Zibal n'en croyait pas ses yeux. Avant même de la connaître, il était séduit par cette destination en tant que retour aux sources – à *mes* sources. Mais, sur place, l'évidence de son coup de foudre m'a sauté au cœur. Lui qui est né de l'autre côté de la Méditerranée, dans cette Syrie dont il n'a aucun souvenir et qui n'a plus rien à voir avec le paradis perdu que lui avait décrit sa mère adoptive, lui le casanier planteur de racines ne connaissant du reste du monde que la région parisienne, Trouville et la côte flamande, restait des heures à contempler la mer depuis le promontoire d'Èze-Village.

Ce qui m'avait séduite chez lui, en premier, c'est cette vitesse de décision, cette plongée corps et âme dans l'inconnu à laquelle, m'a-t-il dit, il ne s'était jamais livré avant de flasher sur moi. Et puis la vie de couple avait apporté son lot d'érosion… Après l'avoir vu s'endormir, à sa manière hyperactive, dans la réussite professionnelle que lui avait procurée Fred, je retrouvais l'homme qui m'avait fait craquer. Et même celui qu'il était bien avant notre rencontre, ce gamin rescapé à l'énergie indomptable que j'avais découvert dans le roman autobiographique de sa mère, *L'Enfant de la poubelle*, fracassant best-seller de son enfance dont il avait mis trente ans à se remettre. Dès notre arrivée à Èze, en trois heures et dix coups de téléphone, il avait jeté les bases de notre nouvel avenir sur les lieux de mon passé. Sans l'ombre d'une hésitation, il avait bradé ses actions au profit de son associé et acheté la villa du belvédère, cette demi-ruine rose pâle aux trompe-l'œil effacés que l'association des chiens guides n'avait pas les moyens d'entretenir, qui ne servait qu'à l'apprentissage des escaliers en binôme, et dont la vente allait permettre d'engager de nouveaux éducateurs et de tripler le nombre d'élèves.

Quant à Jules et Victoire, des nouvelles de leur périple, vraies ou fausses, nous parvenaient par dizaines chaque jour, via les sites partenaires de chien-perdu.org qu'avait alertés le boulanger de Marjorie. Des cohortes d'internautes affirmaient les avoir repérés, croisés, nourris – qui en Savoie, qui en Isère, qui dans le Var, qui en Sologne... À chaque fois, les fugueurs reprenaient des forces, volaient un gigot, squattaient un moyen de transport ou une piscine en hivernage, et s'échappaient dès qu'on tentait de les retenir. Sur une carte de France, j'épinglais des bouchons datés pour suivre leur progression en zigzag, leur avancée vers le Sud contrariée par de fréquents allers-retours du nord à l'est.

— S'ils continuent à ce rythme, on sera morts avant de les revoir.

L'humour noir de Zibal me faisait sourire jaune, mais je refusais qu'on aille au-devant d'eux. Même le jour où un fabricant de tomme d'alpage les avait signalés dans son étable, bloqués au-dessus de Chambéry par une tempête de neige, et nous avait envoyé leur photo par smartphone, serrés l'un contre l'autre sous un plaid à carreaux. Zibal avait déjà démarré le Berlingo, mais j'avais dit non. Ils devaient réussir par eux-mêmes la mission qu'ils s'étaient fixée, atteindre tout seuls leur objectif, sinon ils nous en voudraient toujours.

De plus, leur sens de l'orientation étant sujet à caution, on brouillerait encore davantage leurs repères si l'on se déplaçait. Dans les innombrables exemples de chiens qui étaient parvenus à destination après avoir parcouru des milliers de kilomètres, il y avait une constante : les animaux s'étaient branchés non seulement sur un lieu, mais sur leur maître. C'est lui qui les attirait, c'est son emplacement qu'indiquait leur boussole intérieure. Comment expliquer autrement les cas où ils avaient rejoint leur humain dans une nouvelle résidence qu'ils ne connaissaient pas ?

Zibal jugeait ma réaction absurde : le fait de nous rapprocher d'eux n'empêcherait pas qu'ils nous trouvent. Mais Marjorie, avec qui on faisait le point au téléphone dix fois par jour, était de mon avis. Comme elle disait, que resterait-il de l'*Odyssée* si Pénélope était allée chercher Ulysse en galère pour le ramener plus vite à la maison ? Du reste, pendant qu'on se disputait au moment où le soleil sortait de la mer, nos aventuriers de la route, à l'insu du producteur de fromage savoyard, avaient déserté l'étable pour se faire descendre dans la vallée par un chasse-neige.

Alors, Zibal a décidé qu'on tromperait l'attente et les incohérences de leur itinéraire en attaquant les travaux de la villa. Toute l'équipe de l'école nous prêtait main-forte et mon père, interrompant deux jours et demi sa saison de ski, un record, était descendu de Valberg pour nous refaire l'électricité.

– Ils sont où, aujourd'hui ? lançait-il, goguenard, lui qui n'aimait que les chats.

– Clermont-Ferrand.

– Vachement direct.

– C'est sûrement une erreur, papa. Ou une affabulation. Les gens veulent tellement participer à ce genre de traque… Souvent, ils croient de bonne foi qu'ils les ont aperçus.

– Diminue la récompense, tu auras moins de réponses.

Deux jours plus tard, nos chiens étaient signalés par vingt-cinq internautes à Dijon. Difficile de nier la réalité : ils avaient rebroussé chemin.

J'ai hésité à décrocher en voyant les quatre lettres sur l'écran. Téléphone à l'oreille, je me suis dirigé vers la cuisine.

– Alice est près de toi ?

– Oui.

– Raccroche. Dis-lui que c'est une erreur et va faire un tour : j'ai pas mal de trucs à t'annoncer.

Dans l'éclat du soleil froid qui descendait vers l'Estérel, j'ai pris le sentier de falaise en direction du fort de la Revère. J'atteignais les buissons de genêts quand Fred m'a rappelé.

– Ils sont ici.

– Ici ?

– Les chiens. À Paris, au Palais-Royal.

Je me suis arrêté sur la ligne de crête, abasourdi. Comment fallait-il comprendre ce revirement ? Jules avait soudain changé d'avis, renoncé à regagner son lieu de naissance, de formation, de bonheur initial au service de sa maîtresse. Mais il n'avait pas non plus fait demi-tour vers le pays de Victoire. Non, il avait mis le cap vers l'homme qui l'avait sorti de la fourrière, ce si dévoué Dr Vong qu'il avait renversé cul par-dessus tête pour s'enfuir de chez Mme Bühler. Mais dans quel but était-il retourné auprès du comportementaliste ? Pour lui présenter ses excuses ?

– Pas seulement, a soupiré Fred. Il y a un vrai lien entre eux, tu le sais mieux que moi.

J'ai revu, au-dessus des jardins du Palais-Royal, la salle d'attente Second Empire où, entre un hamster dépressif, un chihuahua parano et un perroquet autiste, j'avais traîné l'année précédente ce labrador pot de colle à qui, déjà, il avait fallu délivrer un certificat de bonne santé mentale. L'aveugle irascible qu'on lui avait refilé, suite à la guérison d'Alice, avait porté plainte contre lui quand il l'avait balancé exprès dans un poteau pour courir me retrouver à Orly, et l'expertise d'Éric Vong lui avait évité une première fois l'euthanasie. Ému, j'ai revécu le trouble que j'avais ressenti quand, dans son cabinet de consultation à l'ambiance de salon de thé japonais, Jules avait partagé pour la première fois ses « images mentales » avec le thérapeute.

— Alice est toujours en pétard contre moi because Ludivine, je suppose ? Heureusement que Marjo m'a tenue au courant de l'enquête. Tu ne peux pas savoir le soulagement que ç'a été pour Éric, quand il a compris *enfin* pourquoi Jules avait attaqué ce gamin. Ça le minait.

— Passe-le-moi.

— Éric ou Jules ? Non, je rigole, mais ça ne va pas du tout. Je suis descendue dans le jardin pour t'appeler en douce. Je ne sais pas ce que le chien a capté, mais les rapports entre eux sont inversés, là, tu vois.

— Tu peux arrêter de parler par énigmes ?

— Éric a un gros souci.

À force de l'entendre se gargariser avec le pré-nom de ce mandarin austère, pourtant si éloigné des familiarités, j'ai failli lui demander si elle avait viré sa cuti. Mais elle a enchaîné :

— Toi, évidemment, tu n'avais rien remarqué. Tu l'avais juste trouvé pète-sec et tête à claques, c'est ça ?

Face à mon silence perplexe, elle s'est mise à me raconter les sentiments que lui avait inspirés Vong, à m'exposer la raison pour laquelle, après l'avoir côtoyé une heure à la fourrière quand on s'efforçait d'obtenir la grâce de Jules, elle était allée le relancer à Paris.

– Les gens dans notre situation, tu sais, on se flaire et on se reconnaît sans avoir besoin de faire des phrases. Question d'attitude. Ce mélange de distance et d'impatience face aux personnes qui se disent « normales », face aux lenteurs à la con, aux problèmes en suspens…

– Tu peux en venir au fait ? Je pèle de froid, là.

– OK, j'abrège. À peu de chose près, Éric et moi, on a le même cancer. La lymphe et la moelle. Les mêmes rémissions, les mêmes récidives : Superman sur un nuage quand tu sors de la transfu, et puis le bout du rouleau à chaque fin de mois…

J'ai recroquevillé mes orteils au bord du vide, me reprochant l'agressivité avec laquelle je lui avais répondu.

– Sauf que lui, le foie et le pancréas viennent de se mettre dans la boucle. Alors t'imagines sa réaction, quand soudain il découvre l'autre zouave en train d'aboyer sous ses fenêtres ! Jules lui a fait une fête d'enfer, il lui a présenté sa copine… Et puis, une fois calmé, il a posé sa tête pile à l'endroit où les rayons l'avaient brûlé.

Je me suis assis sur un rocher, sonné par les perspectives bouleversantes qu'elle ouvrait à chaque phrase.

– Maintenant, les deux clebs roupillent dans son cabinet. Il a dû les bourrer de piquouzes et d'antibios, ils sont complètement à la ramasse, maigres comme des clous, les coussinets en bouillie, truffés d'engelures, de tiques et de sangsues. Éric est surtout inquiet pour Victoire, et Jules aussi : elle ne mange rien, elle se lève à peine. Qu'est-ce qu'on fait ? Il dit qu'il les garde en observation jusqu'à demain, mais après, il se passe quoi ? Vous venez les chercher ou je vous les ramène ?

Dans les reflets du soleil couchant, la Méditerranée sous mes pieds, j'ai laissé quelques instants de silence grésiller dans le téléphone.

– T'es toujours là, Zib ? Vous êtes où, au fait ? Marjo me la joue secret défense.

J'ai hésité, pris en étau entre l'élan de compassion et la méfiance naturelle. Mes retrouvailles avec Alice étaient encore trop fraîches pour que je coure le risque d'y associer celle qui avait si bien su nous séparer.

– En tout cas, m'a-t-elle relancé avec une pointe d'agacement, Ludivine me dit que tu n'es pas rentré à De Haan.

– Je ne veux plus entendre parler d'elle.

– Je sais. Elle vient d'ailleurs de te flanquer sa dém : elle part diriger une affaire que je monte en Russie. Mais ça ne me dit pas où vous êtes. J'ai deux options : la côte normande ou la Côte d'Azur. Vu que j'entends au loin des chiens mais pas de mouettes, je suppose qu'Alice t'a emmené à Èze. Là où elle m'a rencontrée. Je prends ça pour un signe encourageant. Tu m'aides à arrondir les angles avec elle ? Comme ça je vous dépose les chiens demain soir. Simplement, tu me réponds oui ou non tout de suite : je n'ai pas l'éternité devant moi.

J'ai d'abord cru que c'était une allusion à son cancer, mais l'urgence qu'elle faisait valoir était d'ordre purement logistique. Avec son allergie aux poils de chien, elle préférait s'épargner Paris-Èze en Maserati et, vu le préavis de grève à la SNCF, elle ne voulait pas non plus imposer la soute à bagages d'Air France à ses deux accompagnateurs qui, ne pouvant plus justifier d'un emploi d'assistance handicap, n'étaient pas admissibles en cabine. Sans transition, elle s'est informée :

– Il me reste combien de temps avant que mes amis de Phytogreen ne découvrent l'OPA hostile que ton avocat vient de lancer contre eux – quarante-huit heures ? Eh oui, mon coco, je suis au courant. D'ici là, je peux demander sans problème son jet privé au PDG, qui me croit toujours son alliée auprès de toi. Il est super, au fait, ton montage de dossier. Imparable. Sauf si je décidais de le griller.

Sans pouvoir retenir mon sourire, je me suis incliné devant l'impeccable rouerie de cette arnaqueuse au grand cœur. Je lui ai demandé ce qu'elle voulait en échange de son silence.

– Rien. Tu fais juste comprendre à ton associé Illan que, maintenant qu'il est seul aux manettes, il aurait tort de se passer de mes services : je connais par cœur les rouages de Phytogreen, leurs sociétés écrans, leurs profits dissimulés et leurs casseroles. À demain soir, mon chou : je réserve le jet. Une dernière chose, tu ne parles pas de ma santé à Alice, promis ? Elle me croit toujours en rémission : je n'ai pas envie de vous plomber.

J'ai promis, j'ai raccroché, et j'ai aspiré une grande goulée d'air frais pour aller plaider sa cause auprès de son ex.

Je n'aurais jamais cru que le bonheur était renouvelable à ce point. Avec les mêmes personnes, en dépit de l'usure, des drames, des malentendus, des fausses trahisons et des vraies tromperies.

Au début, pourtant, je me sentais décalée. À l'aéroport de Nice, dans la zone feutrée des avions privés, seuls les chiens paraissaient à l'aise. Ils avaient beau nous sauter dessus à tour de rôle pour ne pas faire de jaloux, la glace avait du mal à se fendre. Après l'élan des retrouvailles, un silence d'incertitude était retombé dans le salon d'accueil, entre les cloisons de préfabriqué, le tapis rouge, les plantes vertes et les Vigipirates à mitraillette. Marjorie semblait la plus gênée. En apprenant qu'on avait retrouvé sa chienne, ses anciens compagnons d'armes lui avaient fait un superbe cadeau : ils étaient venus la chercher dans un hélicoptère du

CNICG pour la conduire à Nice. Ils s'étaient posés quelques minutes avant l'atterrissage du jet de Fred, laquelle avait moyennement apprécié qu'on lui vole la vedette avec ce rebondissement qui n'était pas de son fait.

Je la reconnaissais à peine, mon adjudante. Moulée dans une robe de créateur tendance, petit sac Chanel tout neuf à l'épaule, elle se laissait coller par un commandant de gendarmerie à moustache blonde qui, ça crevait les yeux, était un ancien amant dont la présence la mettait en porte-à-faux, sans que j'arrive à deviner si c'était par rapport à Zibal, à Fred, à moi ou à sa chienne qui, elle, débordait visiblement d'affection pour l'officier.

Au bout d'un moment de flottement, on s'est tous embrassés en se remerciant, en se présentant des excuses et en se pardonnant mutuellement, dans le doute. Après, ça allait mieux.

— Je vous la confie, a déclaré à Zibal le commandant, très raide, avant de regagner son hélico sans un salut.

— Je lui ai dit qu'on faisait ménage à trois, m'a glissé Marjorie à l'oreille. Désolée, mais c'était le seul moyen pour qu'il retourne chez sa meuf.

Je l'ai absoute en lui serrant la taille, avec un clin d'œil pour Zibal qui déjà s'imaginait des choses.

– Du coup…, a enchaîné la gendarme en congé de longue durée, vous pourriez nous héberger un jour ou deux ?

– On allait vous le proposer, a souri mon homme en venant caresser Victoire.

– Bon, ben voilà, a lancé Fred qu'on avait un peu oubliée.

Redevenue le centre des regards, elle s'est montrée navrée de devoir reprendre son jet aussi sec, pour cause de conseil d'administration – ce qui nous arrangeait plutôt, mais on est restés discrets. Elle a remis ses gants pour dire au revoir aux chiens, puis elle s'est retournée vers nous, un doigt sur la tempe, feignant d'avoir oublié quelque chose. Et elle a lancé à la cantonade :

– Ah oui, au fait, je vous rassure pour Victoire – ou je vous inquiète, c'est selon. Éric a trouvé de quoi elle souffre.

Elle nous a laissés mariner cinq secondes, avant de lâcher sur un ton de compassion légèrement sadique :

– Elle attend des chiots.

*

Un mois plus tard, Victoire donnait le jour à deux curieux prototypes, labradors de Weimar aux yeux jaunes, bas du cul mais portant beau, qu'on baptisa Juliette et Victor. Rapidement, ils cumulèrent les aptitudes, les qualités comme les défauts de leurs géniteurs, et les premiers tests effectués à l'école d'Èze incitèrent à leur dispenser une formation multiple. J'étais aussi fière que fataliste. Un jour, s'ils se montraient à la hauteur de leurs origines, il ne resterait plus qu'à trouver le spécimen de gendarme artificier, non voyant ou épileptique dont ils pourraient assurer la carrière, la maintenance et le bonheur.

Quant à nous, je me suis dit qu'il serait peut-être temps d'arrêter de passer toujours après nos chiens.

Issue d'une lignée de charpentiers, Marjorie, qui avait refait seule la toiture de son pavillon, nous a bien aidés à restaurer la villa du belvédère. Tout naturellement, Alice lui a proposé de s'installer au deuxième étage. Rien ne la retient en Lorraine. Son ancien mari et sa fille ont perdu leur food-truck dans un incendie de raclette : ils pourront ainsi se réfugier sous son toit sans se fritter avec elle. On l'a également incitée à couper les ponts avec son passé de gendarme cynophile pour se reconvertir dans le civil. Elle a intégré l'équipe pédagogique de l'école d'Èze, où elle se fait la main sur Juliette et Victor.

Son bonheur fait plaisir à voir et stimule le nôtre. Fred, à qui rien n'échappe, même à distance, m'a alerté par texto : « Si jamais l'un de vous deux craque pour elle, souvenez-vous que je suis là. » Je ne sais trop dans quel sens il faut le prendre, mais je l'ai remerciée de son attention. J'imagine que ça lui donne un but – une perspective, du moins. Elle en a besoin. Malgré l'imposante commission qu'elle a empochée sur l'absorption de Phytogreen par SolarPlant, je la trouve de plus en plus éteinte. Son état de santé est stationnaire, me dit-elle, mais, d'après ce que j'ai compris, elle passe les trois quarts de son temps en soins palliatifs au chevet d'Éric Vong.

*

On a fêté les soixante ans du père d'Alice à Valberg, dans son petit chalet où il élève des chats de concours. Une seule consigne : « N'apportez pas de cadeaux, mais venez seuls. » Il faut dire qu'à sa dernière visite, Jules avait joué au bowling avec deux chatons birmans à mille euros pièce. Marjorie est restée à Èze pour tenir compagnie à la meute.

Jusqu'à présent, j'avais trouvé Pierrot Gallien plutôt sympa, n'ayant eu affaire qu'à ses talents d'électricien sur notre chantier. Mais là, dans ses meubles, il était bien tel qu'Alice me l'avait décrit : égocentrique à façade conviviale, veuf éminemment consolable qui n'avait conservé la garde-robe de sa femme que pour dissuader ses petites copines d'implanter sur son territoire autre chose que leur brosse à dents.

Apparemment, je lui plaisais bien. J'avais surtout l'avantage d'être un homme, par rapport à cette Fred qu'il n'avait jamais pu sacquer – moins par homophobie que par fierté : elle l'écrasait au poker. Ancien champion de descente reconverti dans le ski de fond, il a entamé ses festivités d'anniversaire en me faisant tourner quatre heures dans les vallonnements de sa forêt, avant de me rendre hors d'haleine à sa fille en me déclarant apte à la qualité de gendre. Moi, de mon côté, si je l'imaginais en beau-père, c'était plutôt dans l'optique de caser ma mère, qui avait recommencé à m'appeler deux fois par jour, comme chaque fois qu'elle se lassait d'un amant :

– Il m'épuise. Il mesure tout avec son téléphone : le rythme de son cœur, la pression de ses pneus, le degré d'hygrométrie de la chambre, l'intensité de mes orgasmes… Mais qu'est-ce que j'ai fait au Ciel pour toujours tomber sur des chieurs ?

– Je te passe le père d'Alice.

*

Lorsqu'on est rentrés à Èze, Victoire dormait entre ses chiots. Jules a eu une réaction bizarre. Quand Alice a allumé dans le canapé sa cigarette du soir, il est venu poser les pattes sur son ventre en grognant, puis il a léché frénétiquement le bas de son pull.

– Qu'est-ce qui te prend, mon Julot ?

J'ai répondu pour lui :

– Il t'enlève les poils des chats. Ou alors, tu es enceinte.

On s'est regardés dans l'écho de ma phrase et, d'un même mouvement, on s'est tournés vers Jules. Il a remué la queue par réflexe, comme chaque fois qu'il était le point de mire. Puis, comme s'il s'entraînait aux nuisances que, le cas échéant, il subirait d'ici quelques mois, il est allé se coucher en rond dans son panier, la tête contre le mur et les oreilles sous les pattes.

*

Le plus difficile dans une grossesse, c'est de la cacher à la future grand-mère. Surtout quand, dans mon cas, on s'efforce de dissimuler autre chose de bien plus dommageable pour l'ego et la coquetterie de l'intéressée... À tout point de vue, son fils adoptif est en train de lui faire un enfant dans le dos.

Chaque fois qu'elle m'appelle, je m'efforce de conserver mon ton bougon pour ne pas lui mettre la puce à l'oreille, mais, depuis quelques semaines, j'éprouve pour l'auteure de *L'Enfant de la poubelle* autre chose que de l'incompatibilité polie. Éliane de Frèges n'en revient pas que, désormais, j'interrompe ses jérémiades amoureuses en l'interrogeant sur ses problèmes de ruptures de style, ses alternances de narrateurs et ses pannes d'inspiration. Je me suis mis à écrire, moi aussi. La chose la plus imprévue qui pouvait m'arriver. Quand on a commencé dans la vie comme héros de roman à soixante mille exemplaires, on s'efforce de faire oublier sa dimension autobiographique en se démarquant de la littérature – d'autant que je demeure à ce jour le seul succès populaire et critique de ma pauvre mère, qui ne manque jamais une occasion de me le reprocher.

Mais il a suffi que Fred m'envoie cent cinquante pages de notes manuscrites accompagnées d'un Post-it (*À toi de finir !*) pour que toutes mes préventions s'effacent en quelques heures devant le devoir de mémoire.

– Éric ne supportait pas l'idée de mourir en

laissant un inédit dans un placard. Alors, tu le mets en forme, tu le termines, tu le cosignes et je le fais publier par l'éditeur de ta mère.

J'ai bien compris l'arrière-pensée : me transformer en angoissé de la page blanche, indisponible et fermé, allergique au moindre bruit perturbant, à toute conversation hors sujet. Heureusement qu'Alice s'est remise à peindre. Le seul moyen de supporter la proximité d'un créateur dans les affres, c'est d'être soi-même aux prises avec une œuvre en cours. Mais la demande de Fred dépassait de très loin le calcul affectif. C'était la première fois que j'entendais sa voix chavirer :

– Tu sais, les rares personnes qu'il fréquentait en dehors des animaux… Aucune ne s'était jamais aperçue de ses problèmes de santé. À part moi, une inconnue. Quand on l'a hospitalisé, tout le monde lui a tourné le dos. Un toubib malade, ça dérange, Zibal, ça fait peur. Seul comme un chien, il était. Du coup, il a fait ce qu'il avait à faire. Il m'a demandé de le piquer, de l'incinérer et d'aller le disperser à Asnières, au cimetière des animaux – je n'allais pas dire non. Alors voilà. Il m'a désignée comme son exécutrice testamentaire, il m'a confié le droit moral sur son œuvre, et moi je te confie le brouillon que tu lui as inspiré avec Jules. Dépêche-toi, j'ai vingt-cinq éditeurs dans le monde qui attendent sa dernière livraison : on est assis sur une mine d'or, coco.

C'est ainsi que, malgré moi, je me retrouve dix heures par jour à compléter, corriger, remanier *Le chien qui voyait pour elle*. Dix heures par jour à ressusciter par écrit le comportementaliste qui avait entrepris de raconter l'histoire de notre labrador.

Son manuscrit s'interrompt sur une interrogation à laquelle j'essaie de répondre, sans avoir ses connaissances ni ses capacités. En route vers le Sud, Jules a-t-il changé sa destination pour lui amener Victoire comme patiente ? Ou parce qu'il avait perçu à distance, chez cet homme qui l'avait sauvé à deux reprises et qui avait échangé avec lui tant d'images, l'explosion du cancer, la souffrance, l'angoisse de la mort ? Peut-être que, pour Jules, l'urgence de lui venir en aide a pris le pas sur l'envie de nous retrouver. À moins qu'il ne se soit senti appelé par sa propre image, par la densité avec laquelle Vong se concentrait sur lui pour terminer, avant de mourir, le livre dont il était le sujet… Moi non plus, je n'ai pas la réponse. Mais j'ai tout le temps de la chercher.

*

Mon héros s'étonne que je le fixe à tout bout de champ, stylo en main, l'air en attente, concentré, discrètement quémandeur – un peu comme lui quand il me réclame une promenade. Mais là, c'est pour puiser l'inspiration dans ses yeux. Lui piquer une attitude, une réaction, un état d'esprit qui me permettront de décrire au plus juste son caractère, de faire partager ses débats de conscience à des lecteurs inconnus.

Jules soutient mon regard. On dirait qu'il comprend. Qu'il me promène dans sa tête, dans sa façon de voir… Qu'il me guide.

Sa femelle, un peu jalouse, vient souvent poser sa patte sur ma cuisse et me dévisage avec insistance, semblant réclamer une place dans mon récit.

*

Comme les autres élèves, nos chiots ont été confiés à une famille d'accueil, en dehors de leurs heures de travail au Centre d'éducation. Pour Jules et Victoire, ce départ a cassé quelque chose, en douceur, apaisant la tension instinctive qui les maintenait en veille au fil des ans. Comme si, leur succession assurée, ils pouvaient enfin goûter aux saveurs de l'insouciance, de la rêverie égoïste, du jeu à plein temps. Deux vétérans délivrés du poids de leur progéniture et coulant une retraite sans complexes, aux côtés d'un couple autonome en quatrième mois de grossesse.

Sur le plan financier, ça ne va pas trop mal non plus. En vendant mes parts dans SolarPlant, j'ai partagé le prix de ma liberté entre l'association des guides d'aveugles et la fondation ESCAPE, privée de subventions par la guérison de Mme Bühler. Désormais sous la haute surveillance d'un berger allemand moins dispersé que Jules, la mécène préfère consacrer sa fortune à l'éradication des islamistes plutôt qu'au mieux-être des autres épileptiques. Le Pr Schotz, qui m'a remercié avec autant de ferveur qu'il m'avait dézingué naguère, est confiant dans le développement de son école. J'espère qu'il a raison : ses chiens d'alerte épilepsie obtenant, sans aucun effet secondaire, des résultats très supérieurs à ceux des médicaments, ses principaux adversaires ne sont plus désormais les rationalistes, mais les laboratoires pharmaceutiques. Ici, à Èze, la situation est plus simple : mes fonds permettront de quintupler dès l'an prochain le nombre de guides remis aux milliers de non-voyants toujours en liste d'attente, et ça ne dérange personne.

Marjorie, quant à elle, s'épanouit de jour en jour en formant à des actes d'amour des dizaines de chiens civils. Depuis quelques semaines, en toute discrétion, elle sort avec un de ses collègues éducateurs qui, d'après Alice, a déjà réussi à ce qu'elle renonce au sparadrap. Elle semble aimer de plus en plus sa vie au-dessus de nous, dans la villa du belvédère. Bricoleuse de génie, elle y a installé à titre préventif un ascenseur pour Jules, qui commence à avoir des problèmes de train arrière. Ensuite, elle nous a aidés à aménager sous les combles une chambre d'appoint. Fred a finalement accepté d'être marraine de notre enfant, après m'avoir bombardé de messages quotidiens pour que je suggère à Alice de lui faire cette proposition à laquelle, par fierté, elle a mis quinze jours à répondre.

Notre petit garçon aura donc deux marraines. Elles ne seront pas de trop pour contrer ses grands-parents qui, dès le résultat de l'échographie, ont décidé d'en faire, d'un côté, un champion olym-

pique de descente et, de l'autre, un haut fonction-
naire au Quai d'Orsay.

Pour l'heure, la vie s'écoule au rythme apprivoisé
des passions qui nous lient, entre les tableaux
d'Alice recouvrant nos murs de cauchemars pim-
pants, mon livre qui n'en finit plus de grossir en
absorbant mes émotions, et notre vieux couple de
chiens qui, après tant d'épreuves et de dévouement
sans retour, a fini par trouver le vrai bonheur au
service de rien.

NOTE DE L'AUTEUR

Si, de livre en livre, je m'efforce de ne pas trop me répéter, c'est moins flagrant lorsque j'en arrive au postscriptum. Une fois encore, les inventions les plus folles dont on a tendance à me créditer ne sont pas forcément le fruit de mon imaginaire. Non seulement les chiens annonciateurs de crises d'épilepsie existent, mais ils font l'objet de plusieurs publications scientifiques aux États-Unis (Strong et Brown, 2000, Dalziel *et al.*, 2003, Kirton *et al.*, 2004...), et même en France (thèse de recherche du Pr Vincent Navarro, 2003, *Revue de neurologie*, 2011...). Une vingtaine de centres d'études et d'apprentissage leur sont dédiés aux États-Unis, au Canada, en Angleterre, en Belgique... Pourtant, bien que l'épilepsie affecte un demi-million de Français, dont cent mille enfants, aucun projet de ce genre n'existait dans notre pays, jusqu'à la publication de *Jules* en 2015.

À l'époque, la plupart des lecteurs ont pensé que les facultés que se découvrait mon guide d'aveugle, au contact d'un petit garçon épileptique, étaient une trouvaille de romancier. Ce ne fut pas le cas du Pr Hervé Vespignani, chef du service de neurologie au CHU de Nancy. Lors d'une dédicace au Livre sur la Place, j'apprends qu'il est le seul épileptologue français travaillant avec des chiens détecteurs de crises. De notre rencontre naîtront à la fois le sujet du *Retour de Jules* et le projet ESCAPE, que nous sommes en train de lancer avec le soutien de plusieurs partenaires publics et privés – n'ayant rien à voir, je le précise, avec les personnages imaginaires que je mets en scène dans ce roman. Ainsi, agissant comme un catalyseur, la fiction peut-elle parfois bénéficier à la réalité dont elle s'inspire.

Les chiens médiateurs, qu'ils soient au service des malades, des handicapés ou des unités antiterroristes, sont une cause défendue avec passion par beaucoup de bénévoles et de spécialistes à qui manquent, trop souvent, les moyens financiers pour répondre à une demande toujours plus forte. Puisse ce roman contribuer à mieux faire connaître leur action, leurs résultats et leurs besoins.

Quant aux éléphants, j'ai une pensée particulière pour deux disparus qui m'ont initié à leur intelligence et leur sensibilité : Annie Fratellini et Lawrence Anthony. Les lecteurs doutant des capacités hallucinantes que je décris peuvent se référer à la revue de l'Académie américaine des sciences (*PNAS*, 31 octobre 2006), et aux nombreuses vidéos qui montrent sur le Net des pachydermes en train de peindre des tableaux en public. Il n'empêche que les modalités de leur dressage, procédant parfois d'une violence inacceptable, continuent de causer une vaste polémique. De par mon expérience, je ne peux y apporter qu'une seule réponse : il est aussi scandaleux qu'*inutile* de torturer les éléphants pour en faire des artistes peintres. À la manière des chiens d'assistance, ils semblent capables d'assimiler et de reproduire volontairement, dans certains cas, un processus technique pour déclencher la joie, la gratitude et l'affection des humains.

DU MÊME AUTEUR

Romans

LES SECONDS DÉPARTS :

VINGT ANS ET DES POUSSIÈRES, 1982, prix Del Duca, Le Seuil et Points-Roman

LES VACANCES DU FANTÔME, 1986, prix Gutenberg du Livre 1987, Le Seuil et Points-Roman

L'ORANGE AMÈRE, 1988, Le Seuil et Points-Roman

UN ALLER SIMPLE, 1994, prix Goncourt, Albin Michel et Le Livre de Poche

HORS DE MOI, 2003, Albin Michel et Le Livre de Poche (adapté au cinéma sous le titre *Sans identité*)

L'ÉVANGILE DE JIMMY, 2004, Albin Michel et Le Livre de Poche

LES TÉMOINS DE LA MARIÉE, 2010, Albin Michel et Le Livre de Poche

DOUBLE IDENTITÉ, 2012, Albin Michel et Le Livre de Poche

LA FEMME DE NOS VIES, 2013, prix des Romancières, prix Messardière du Roman de l'été, prix Océanes, Albin Michel et Le Livre de Poche

JULES, 2015, Albin Michel et Le Livre de Poche

LA MAISON DES LUMIÈRES, 2009, Albin Michel et Le Livre de Poche

LE JOURNAL INTIME D'UN ARBRE, 2011, Michel Lafon et Le Livre de Poche

THOMAS DRIMM :

LA FIN DU MONDE TOMBE UN JEUDI, t. 1, 2009, Albin Michel et Le Livre de Poche

LA GUERRE DES ARBRES COMMENCE LE 13, t. 2, 2010, Albin Michel et Le Livre de Poche

LE TEMPS S'ARRÊTE À MIDI CINQ, t. 3, *in* THOMAS DRIMM, L'INTÉGRALE, 2016, Le Livre de Poche

Récit

MADAME ET SES FLICS, 1985, Albin Michel (en collaboration avec Richard Caron)

Essais

CLONER LE CHRIST ?, 2005, Albin Michel et Le Livre de Poche

DICTIONNAIRE DE L'IMPOSSIBLE, 2013, Plon et J'ai Lu

LE NOUVEAU DICTIONNAIRE DE L'IMPOSSIBLE, 2015, Plon et J'ai Lu

AU-DELÀ DE L'IMPOSSIBLE, 2016, Plon

Beaux-livres

L'ENFANT QUI VENAIT D'UN LIVRE, 2011, Tableaux de Soÿ, dessins de Patrice Serres, Prisma

J.M. WESTON, 2011, illustrations de Julien Roux, Le Cherche-midi

LES ABEILLES ET LA VIE, 2013, prix Véolia du Livre Environnement 2014, photos de Jean-Claude Teyssier, Michel Lafon

Théâtre

L'ASTRONOME, 1983, prix du Théâtre de l'Académie française, Actes Sud-Papiers

LE NÈGRE, 1986, Actes Sud-Papiers

NOCES DE SABLE, 1995, Albin Michel

LE PASSE-MURAILLE, 1996, comédie musicale (d'après la nouvelle de Marcel Aymé), Molière 1997 du meilleur spectacle musical, à paraître aux éditions Albin Michel

LE RATTACHEMENT, 2010, Albin Michel

RAPPORT INTIME, 2013, Albin Michel

Composition : IGS-CP
Impression : en avril 2017
Éditions Albin Michel
22, rue Huyghens, 75014 Paris
www.albin-michel.fr
ISBN : 978-2-226-39893-2
ISBN luxe : 978-2-226-18497-9
N° d'édition : 22687/01
Dépôt légal : mai 2017
Imprimé au Canada chez Marquis imprimeur inc.